Rose-Marie Chaves, Lionel Favier, Soizic Pélissier

L'Interculturel en classe

La collection Outils malins du FLE
est dirigée par Michel Boiron, directeur du CAVILAM de Vichy.

Cette collection est destinée aux enseignants de français à la recherche d'idées simples pour animer la vie de leur classe et qui souhaitent intégrer les innovations théoriques et pédagogiques tout en privilégiant la qualité des interactions humaines.

→ R.-M. Chaves, L. Favier, S. Pelissier, ***L'Interculturel en classe***, 2012
→ M. Pierré et F. Treffandier, ***Jeux de théâtre***, 2012
→ I. Barrière, H. Emile et F. Gella, ***Les TIC, des outils pour la classe***, 2011
→ S. Bara, A.-M. Bonvallet et C. Rodier, ***Écritures créatives***, 2011

Achevé d'imprimer en avril 2013
Sur les presses de la SEPEC - 01960 PERONNAS
Numéro d'impression : 05605130311
Dépôt légal : avril 2013
Imprimé en France

Création graphique : studio Bizart
Bloc-notes : Fotolia.com © Nimbus

BP 1549 – 38025 Grenoble cedex 1
pug@pug.fr / www.pug.fr

ISBN 978-2-7061-1697-1

Préface

Les sociétés contemporaines sont toutes multiculturelles. Il est impossible de rencontrer des groupes complètement homogènes qui n'auraient pas eu d'échanges avec d'autres ou dont les membres ne connaîtraient aucun lien économique, aucun dialogue, aucun mélange. Des nations entières se sont construites sur les flux migratoires, les métissages de population, la cohabitation et l'assimilation de modes de vie, de rites, de valeurs. On pense bien sûr à l'Australie, au Brésil, au Canada ou aux États-Unis par exemple. Mais les pays européens se sont eux aussi bâtis sur des apports successifs. En outre, les domaines économique et politique ne sont pas les seuls lieux tangibles de l'interdépendance entre les pays. Ce que l'on mange, ce que l'on boit, ce que l'on consomme, les vêtements que l'on porte, tout est fondamentalement issu de plusieurs origines géographiques et témoigne de l'interpénétration des cultures.

Si cela est à ce point banal, comment expliquer alors que l'approche interculturelle soit si présente dans le discours pédagogique et politique? C'est que justement, cette réalité polyculturelle, cette interdépendance des sociétés et ces mélanges de populations n'excluent pas un discours marqué par les représentations globalisantes et simplificatrices, par le rejet de l'autre, par des attitudes hostiles face aux migrations de populations et à l'accueil de nouveaux membres dans le groupe social endogène.

Si le lieu de naissance et la nationalité d'origine constituent des pôles d'identification très forts, ils ne sont pas les seuls. D'autres groupes d'appartenance se forment et fonctionnent avec les mêmes principes rigoureux d'acceptation ou d'exclusion, de valeurs partagées, de codes linguistiques, de rituels ou de signes visuels de reconnaissance. Les bandes, clubs, confréries, partis ou associations en sont des modèles formalisés, mais d'autres groupes existent de manière beaucoup moins formelle: élèves d'une même école, groupes d'amis, adeptes d'un sport, passionnés d'une activité culturelle ou fans d'un artiste, etc. Enfin, un individu peut se sentir affilié à plusieurs groupes d'appartenance.

Il est donc fondamentalement utile d'intégrer une approche interculturelle dans le parcours éducatif scolaire et extrascolaire. La réflexion sur les représentations de l'autre, sur la rencontre de l'altérité et la prise de conscience que nous sommes tous soumis à des structures de pensée simplificatrices permettent d'acquérir un regard plus objectif, plus conscient de l'autre ou d'autres groupes. Par ailleurs, cette approche contribue à réfléchir sur soi-même, sur ses propres appartenances, sur ses propres valeurs.

Le cours de langue est sans doute le lieu privilégié de cette démarche, mais celle-ci peut également s'intégrer à d'autres disciplines comme les cours de langue maternelle, l'histoire, la géographie, l'économie, la philosophie, etc. Chaque angle est une nouvelle source d'éclairage.

Au niveau européen, l'interculturel revêt une dimension importante pour l'édification de la citoyenneté et de l'identité collective. La mobilité géographique et les échanges sont des éléments fondamentaux de la construction de cet espace. Dans cette perspective, les instances politiques et éducatives mettent en place des programmes destinés à améliorer la connaissance et la compréhension mutuelles ; ils tentent, avec plus ou moins de succès et de sincérité, de développer le plurilinguisme. Cette évolution est particulièrement marquée par des avancées et des retours en arrière successifs liés à la fois à la volonté simultanée de construire l'Europe et à celle de conserver les prérogatives de chaque État membre. Les représentations des uns envers les autres jouent un rôle particulièrement important dans le travail de l'ensemble des instances internationales.

Dans cet ouvrage, nous affirmons l'ouverture à l'autre, l'éveil de la curiosité, la connaissance et le respect de différents modes de pensée comme des valeurs fondamentales du projet éducatif. Nous avons pour ambition de clarifier la terminologie et de proposer aux enseignants des activités et projets concrètement réalisables dans leur classe. Il s'agit de mettre en scène une démarche interculturelle de manière simple et utile pour favoriser et faciliter la rencontre de l'altérité et l'acceptation de la différence.

Nous distinguons deux niveaux :

- *le niveau collectif* qui permet d'appréhender un groupe ou un pays à travers l'acquisition de connaissances factuelles et l'étude de documents tangibles (l'histoire, l'évolution démographique, les lois, les comportements sociaux visibles dans les médias, la vie politique, les institutions, la vie culturelle, etc.) ;
- *le niveau individuel de l'échange* qui participe du vécu personnel et de l'expérience pour lequel nous proposons successivement des activités pour apprendre à observer avec le plus d'objectivité possible et pour développer une dimension réflexive sur l'autre et sur soi-même.

Parmi les exemples choisis, nous avons souhaité mettre en valeur l'échange scolaire qui associe directement un projet pédagogique et une rencontre au niveau humain. Cet exemple pourrait être appliqué à d'autres échanges ou voyages : rencontres de groupes de villes jumelées, voyages d'études, coopération internationale pour un projet. Nous nous sommes volontairement concentrés sur ce qui était réalisable dans le cadre de l'enseignement d'une langue.

Un jour en marchant dans
la montagne, j'ai vu une bête.
En m'approchant, je me suis aperçu
que c'était un homme.
En arrivant près de lui,
j'ai vu que c'était mon frère.

Proverbe tibétain

PARTIE 1 ▪ Concepts théoriques

PARTIE 1 ▪ Concepts théoriques

« L'interculturel est une manière d'analyser la diversité culturelle [...]. C'est avant tout une démarche, une analyse, un regard et un mode d'interrogation sur les interactions culturelles. »

Olivier Meunier

1 Terminologie

A. La culture

Étymologiquement, le terme « culture » vient du latin *cultura* définissant au sens propre le travail de la terre et des champs. Au sens figuré, Cicéron l'utilisait pour définir métaphoriquement la culture de l'âme, soit la formation de l'esprit par l'enseignement.

Pour définir ce qu'est la culture, il faut mettre en évidence la complexité et la richesse de ses diverses composantes.

La définition de la culture s'est souvent limitée aux mondes artistique et littéraire. Les domaines sociologique et anthropologique rajoutent à la notion de culture une dimension qui inclut les produits de l'interaction de l'homme avec son environnement et ses semblables.

Le *Dictionnaire actuel de l'éducation* de Renald Legendre définit la culture comme étant « un ensemble de manières de voir, de sentir, de percevoir, de penser, de s'exprimer, de réagir, des modes de vie, des croyances, des connaissances, des réalisations, des us et coutumes, des traditions, des institutions, des normes, des valeurs, des mœurs, des loisirs, des aspirations qui distinguent les membres d'une collectivité et qui cimente son unité à une époque donnée. » (Legendre, 1998, p. 133)

Les perspectives sociologique et anthropologique situent l'individu en tant qu'être social qui dépasse le simple statut de produit de sa culture et en devient un des acteurs.

La spécialiste française Martine Abdallah Pretceille instaure un parallèle entre langue et culture comme lieu de mise en scène de soi et d'autrui (Abdallah-Pretceille, 1999, p. 17).

En sciences sociales, la culture est représentée par l'analogie de l'iceberg de Gary R. Weaver (1986). Tel un iceberg, la culture est composée de deux parties : la partie visible-externe et la partie invisible-interne.

Dans la culture externe sont présents les opinions et les comportements qui sont conscients, appris explicitement, faciles à changer et qui sont de l'ordre des connaissances objectives tels les arts, la littérature, les tenues vestimentaires, etc. Cette culture est immédiate et facile à identifier en tant que telle.

Par opposition, la culture interne se définit par son caractère inconscient, par un apprentissage implicite, par la difficulté à être modifiée et par des connaissances subjectives. Il s'agit de valeurs, de pensées et de conceptions tels les modes conversationnels, le langage corporel, la notion de ce qui est juste ou non, les éléments relatifs à l'éducation des enfants, etc. Cette culture est plus difficilement perceptible de manière spontanée et donc plus difficile à mettre en évidence.

En France, la recherche dans le domaine de la didactique des langues-cultures a été principalement menée par Robert Galisson qui a fait la distinction entre deux types de cultures : *la culture cultivée* et *la culture partagée.*

Selon lui, *la culture cultivée* regroupe l'ensemble des connaissances acquises par un être humain, son instruction, ses savoirs encyclopédiques : la littérature, la géographie, l'histoire, la science, etc. Robert Galisson la désigne également comme *culture vision* qui bien souvent est une culture affichée et revendiquée.

La culture partagée quant à elle correspond selon lui aux savoirs et pratiques qui sont transmis et partagés par un groupe social qui a une langue en commun. Cette culture partagée permet de vivre en société. Elle englobe de très nombreuses facettes sociologiques et anthropologiques : les traditions et les coutumes, les valeurs, les croyances, les rites, les représentations, etc. Il s'agit d'une *culture-action*, c'est-à-dire la culture qui se reconnaît par les faits. Elle inclut la transmission de valeurs reconnues par le groupe de référence comme universelles ou incontestables : le respect de la dignité humaine, par exemple. Tout comme la langue partagée, la culture partagée permet aux personnes de s'identifier à leur groupe d'appartenance ou endogroupe ; elle contribue directement à la construction de l'identité collective.

Les termes de civilisation et de culture ont été très souvent utilisés comme synonymes. Dans l'acception courante, le terme *civilisation* s'opposait à celui de *barbarie* et il introduisait l'idée de progrès. Actuellement, la communauté scientifique retient la définition de l'anthropologue anglais Edward Tylor : « une civilisation est une culture qui s'est fait une place dans l'histoire » (Tylor in Clément, 2000, p. 37). On parle alors de civilisation égyptienne, chinoise, indienne, etc.

En didactique des langues, le terme *civilisation* a longtemps désigné les dimensions culturelles que les enseignants de langue introduisaient dans leur enseignement. Actuellement, la dénomination de « civilisation française » est remplacée par celle de « culture française » (Beacco, 2000, p. 33), car la notion de culture s'est enrichie des définitions provenant de la réflexion anthropologique et sociologique. Dès lors, elle n'est plus réduite au sens de *culture cultivée ou encyclopédique*, légitimée par l'école et réservée à une certaine élite.

Robert Galisson défend l'idée selon laquelle « cette culture acquise par les natifs (à l'extérieur de l'école) peut être apprise (à l'intérieur de l'école) par les étrangers » (Galisson, 1991, p. 117). La classe de langue étrangère doit d'une part présenter des éléments de culture cultivée propres à la langue cible et jugés fondamentaux : données géographiques, historiques, politiques, etc., et d'autre part fournir des éléments de culture quotidienne-partagée-active qui permettront à l'apprenant d'acquérir une compétence culturelle qu'il utilisera dans sa rencontre avec l'altérité que représente l'univers complexe de la langue, de la culture cible et de ses locuteurs.

B. Le multiculturalisme

Dans le monde anglo-saxon, la notion de *multiculturalisme* est associée à l'accueil des migrants. Il se définit par la cohabitation et la coexistence parallèles de plusieurs groupes socioculturels au sein d'une société. Chaque groupe est reconnu et identifié en tant que tel et a une liberté d'action.

Cette orientation multiculturelle a été prise en compte par les politiques éducatives. Ce modèle éducatif accepte et valorise les différences culturelles tout en respectant le principe d'égalité entre les cultures. Les différences d'héritage culturel sont appréhendées de façon positive. Chaque groupe, appelé également groupe d'appartenance, partage la même reconnaissance et légitimité que les autres groupes. Une société multiculturelle peut donc être représentée par une mosaïque formée d'aires culturelles distinctes qui s'affirment par leurs différences sans vraiment se rencontrer. La diversité est certes reconnue, mais les interactions entre les groupes ethniques ne sont guère fondées sur un objectif d'enrichissement mutuel. Le multiculturel se caractérise en somme par un repli sur le groupe d'appartenance.

C. Le pluriculturalisme

Dès la Renaissance, les artistes et intellectuels comme Érasme parcouraient l'Europe afin de partager leurs savoirs, d'où l'appellation actuelle du programme d'échanges pour les étudiants, Erasmus. Ces rencontres n'étaient cependant réservées qu'à une élite. Ce qui change fondamentalement dans la période récente, c'est la démocratisation totale des échanges et le fait que des strates bien plus étendues de la société peuvent « vivre » la pluriculturalité.

La notion de pluriculturalisme était appliquée aux contextes migratoires où les individus issus des groupes minoritaires devaient acquérir des aspects culturels des groupes majoritaires du pays qui les accueillait tout en conservant leur identité culturelle. Les groupes culturels majoritaires quant à eux, pouvaient ne pas adopter des traits culturels des groupes minoritaires.

Les sociétés actuelles sont caractérisées de fait par le pluriculturel, car des expériences et des échanges culturels et dynamiques régissent les différents rapports sociaux, notamment grâce aux diverses politiques préconisées par le Conseil de l'Europe en matière de migration et d'éducation. Selon le Conseil de l'Europe, le pluriculturalisme suppose une identification à des valeurs, croyances et / ou pratiques d'au moins deux cultures. Pour ce faire, il faut acquérir les compétences nécessaires pour une interaction dans ces cultures. Être pluriculturel signifie acquérir des connaissances, des savoir-faire linguisticoculturels, comportementaux, des savoir-être pour interagir et communiquer dans au moins deux cultures. Dans cette perspective, la pluriculturalité est donc la capacité à s'identifier et à participer à plusieurs cultures.

Les auteurs du *Cadre européen commun de référence pour les langues* (CECR), publié en 2001, revendiquent plusieurs objectifs : faire acquérir à tout citoyen européen une compétence plurilingue et pluriculturelle afin de faciliter la mobilité géographique, préserver le plurilinguisme et, enfin, promouvoir la démocratie.

Dans le CECR, la compétence plurilingue et pluriculturelle désigne : « La compétence à communiquer langagièrement et interagir culturellement d'un acteur social qui possède, à des degrés divers, la maîtrise de plusieurs langues et l'expérience de plusieurs cultures. On considérera qu'il n'y a pas là superposition ou juxtaposition de compétences distinctes, mais bien existence d'une compétence complexe, voire composite, dans laquelle l'utilisateur peut puiser. » (Conseil de l'Europe, 2001, p. 129)

Un acteur social peut et devrait maîtriser plusieurs langues et cultures à des degrés divers. Les profils des compétences linguistiques et culturelles peuvent varier d'une langue à l'autre. Ainsi, le modèle du locuteur natif, objectif à atteindre encore cher à de nombreux enseignants et apprenants comme objectif final de l'apprentissage devient secondaire. Les compétences visées se caractérisent par leur aspect partiel et déséquilibré, mais elles englobent l'ensemble du répertoire langagier que possède un acteur social.

D. L'interculturel

L'interculturel se définit comme un processus dynamique d'échanges entre différentes cultures. En tant que tel, c'est un concept récent. L'interculturalité, considérée comme son existence objective dans la société, est de fait ancienne. Les êtres humains ont toujours appartenu à des groupes culturels différents. Les rencontres et les métissages se réalisaient alors par l'intermédiaire du commerce, des conquêtes, de la colonisation le terme *interculturel* ouvre une nouvelle perspective : celle des *regards croisés*. Si la différence culturelle existe, elle n'est plus envisagée comme une menace, mais comme un enrichissement culturel réciproque (Verbunt, 2011, p. 12). L'interculturel n'existe que lorsqu'il y a un échange, une rencontre et un partage. Il n'est pas un contenu d'enseignement, mais plutôt une démarche qui vise la construction de passerelles, de liens entre les cultures. Cette approche est par conséquent une reconstruction constante de l'identité dans la relation avec l'altérité ; il s'agit, d'une part, d'accepter la diversité des regards, de rencontrer d'autres points de vue et de comprendre des modes de vie différents et d'autre part, de comprendre que l'on est soi-même rarement le produit d'une seule appartenance culturelle.

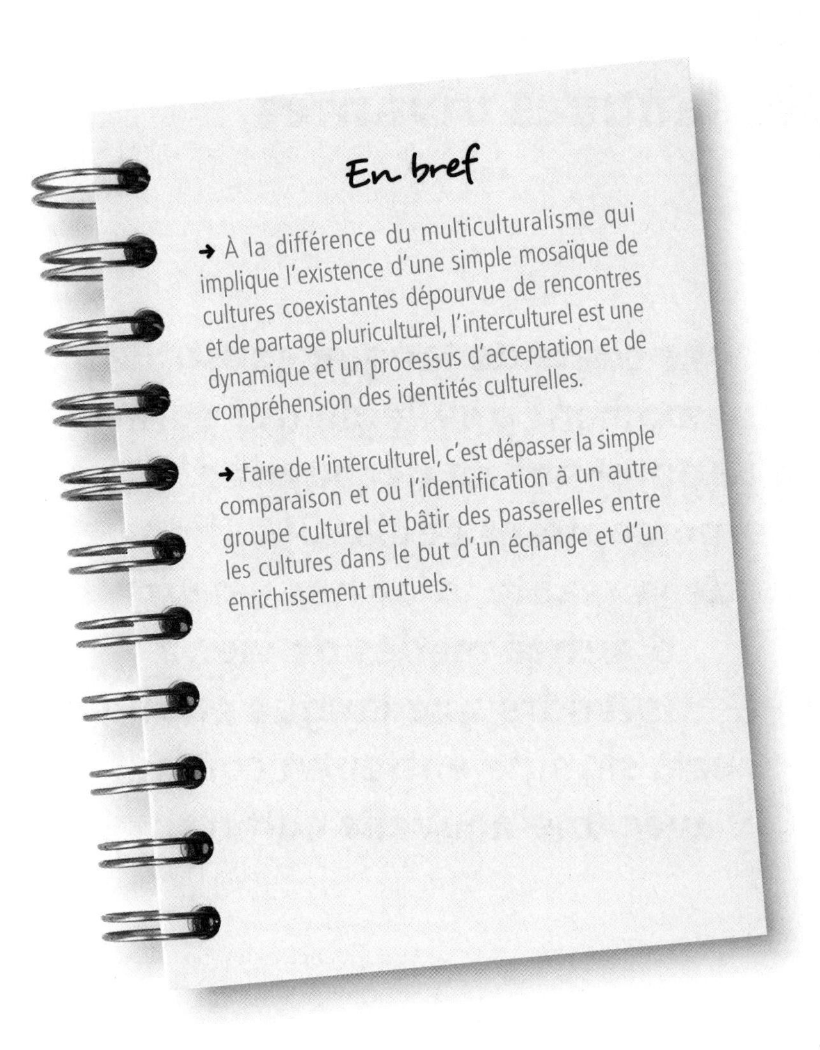

2 L'interculturel dans l'enseignement des langues vivantes

« Le cours de langue constitue
un moment privilégié qui permet
à l'apprenant de découvrir d'autres
perceptions et classifications
de la réalité, d'autres valeurs,
d'autres modes de vie...
Bref, apprendre une langue étrangère,
cela signifie entrer en contact
avec une nouvelle culture. »

Myriam Denis

A. Vers l'approche interculturelle

L'approche interculturelle est apparue dans les années 1970, dans un contexte migratoire européen lié à la scolarisation des enfants de migrants. La pédagogie interculturelle adoptée visait l'insertion de ces enfants, notamment dans le système scolaire. Sans pour autant vouloir les couper de leur langue-culture d'origine, il était également prévu, dans le cas d'un éventuel « retour au pays », un enseignement de leur langue-culture d'origine (ELCO : l'Enseignement des langues cultures d'origine).

Dans les années 1970-1980, les réflexions menées par le Conseil de l'Europe en matière de migration et d'éducation ont encouragé l'élaboration de politiques permettant la reconnaissance de la diversité culturelle comme un enrichissement et non plus comme un handicap. L'interculturel est alors sorti peu à peu du champ exclusif des migrations. Les divers travaux sur ce sujet ont insisté sur le fait que la pédagogie interculturelle était une option éducative globale et transversale qui devait s'appliquer à tous les apprenants, et ce, quelle que soit la matière enseignée. L'interculturel comme démarche pédagogique consciente a pour objectif de permettre aux apprenants de sortir de la vision monolithique de la culture et d'accepter la pluralité culturelle.

Dans l'enseignement d'une langue, on ne peut dissocier langue et culture. Dans les années 1970-1980, l'approche communicative considérait la langue comme une pratique sociale qui, d'après Robert Galisson, était le « véhicule, produit et producteur de toutes les cultures ». Ainsi, il existe des mots à « charge culturelle partagée » dans lesquels un contenu culturel implicite s'ajoute au sens premier du mot (Galisson, 1991).

Ici, on distinguera deux cas : la portée culturelle du référent et les variations de sens d'un même mot suivant l'appartenance culturelle.

À titre d'exemple, le *chrysanthème* est une fleur symbolique pour les Français et les Japonais. En France, elle est associée à la fête de la Toussaint (1er novembre) et les Français la déposent sur les tombes des cimetières en souvenir et en hommage aux défunts. Au Japon, elle est par contre source de rires et de joie : être décoré de l'ordre du *Chrysanthème* est le plus grand honneur qui soit. L'acquisition de ce mot ne peut pas être dissociée de l'information culturelle sur le référent. L'explication « fleur » serait insuffisante.

D'autres mots comme *démocratie*, *justice*, *patrie* ou encore *travail, amour, amitié, famille* sont immédiatement transférables linguistiquement dans d'autres langues, mais sont intrinsèquement porteurs de culture. Le mot est le même, mais le sens diverge suivant l'appartenance culturelle.

Les approches communicatives ont fait évoluer sensiblement l'acquisition linguistique en tant que telle. L'objectif est d'apprendre à communiquer de manière adéquate dans la langue cible dans un but précis. L'approche communicative est centrée sur l'apprenant et ses besoins langagiers. En plus de la dimension linguistique, l'apprentissage d'une compétence de communication englobe :

- *la composante pragmatique* : usage de la langue en fonction des situations de communication impliquant la connaissance des types de discours et des règles de l'interaction ;
- *la composante référentielle* : connaissance d'informations relevant de l'expérience du monde et de leurs relations ;
- *la composante socioculturelle* : connaissance des règles sociales, des interactions et de l'histoire culturelle dans la société ;
- *la composante stratégique* : habileté à maintenir ou produire la communication grâce à des stratégies verbales ou non verbales. Il s'agit en quelque sorte d'une « roue de secours » qui compense les défaillances des autres composantes.

Dans la perspective communicative, l'enseignement / apprentissage de la communication avec l'autre se définit comme visant une communication réussie en regard des objectifs et des besoins du locuteur. Un enseignement centré exclusivement sur la dimension linguistique (grammaire, lexique, phonétique, etc.) n'est plus satisfaisant.

En 1997, Michael Byram parle de *compétence de communication interculturelle* qui accompagnerait les autres composantes de la compétence de communication et exigerait des connaissances, des attitudes et des aptitudes particulières. En réalité, cette compétence de communication orientée vers l'interculturel inclut des attitudes et des comportements orientés vers l'autre, considéré comme un partenaire de statut identitaire et culturel égal.

B. Le Conseil de l'Europe et le Cadre européen commun de réference (CECR)

Le Conseil de l'Europe, en tant qu'institution, défend l'objectif d'une construction européenne basée sur la démocratie, le respect des langues et des cultures et il définit une politique éducative et linguistique visant la compréhension réciproque et la tolérance dans une Europe plurilingue et pluriculturelle. Cette politique pose comme principe l'acquisition de plusieurs langues et refuse l'acquisition d'une *lingua franca*, d'une langue-culture unique et hégémonique.

La publication en 2001 du CECR a marqué fondamentalement la didactique de l'enseignement des langues. Ce document influence depuis l'ensemble des développements méthodologiques d'apprentissage et d'évaluation en Europe, mais aussi hors de l'Europe.

Le CECR propose une vision de la communication comme action. Le locuteur est vu comme un acteur social. Parler, écrire et écouter, c'est agir. De là est né un concept *: la perspective actionnelle*. Selon Christian Puren, la classe est une « société authentique à part entière » (Puren in Rosen & Reinhardt, 2010, p. 23). Dans le cadre de *la perspective actionnelle*, l'apprenant réalise des tâches langagières qui font appel à plusieurs compétences et donnent lieu à des activités de production, de réception, d'interaction et de médiation.

Le CECR recense deux grandes familles de compétences :

- *La compétence communicative langagière* avec trois composantes : la composante linguistique, la composante pragmatique et la composante sociolinguistique.
- *Les compétences générales de l'individu* qui englobent les savoirs, les savoir-faire, les savoir-être et les savoir-apprendre.

L'approche interculturelle est citée dès les premières pages de l'ouvrage comme contribuant étroitement au développement personnel souhaitable de l'apprenant :

« Dans une approche interculturelle, un objectif essentiel de l'enseignement des langues est de favoriser le développement harmonieux de la personnalité de l'apprenant et de son identité en réponse à l'expérience enrichissante de l'altérité en matière de langue et de culture » (Conseil de l'Europe, *op. cit.*, p. 9).

La *prise de conscience interculturelle* est définie comme suit :

« La connaissance, la conscience et la compréhension des relations (ressemblances et différences distinctives entre "le monde d'où l'on vient" et "le monde de la communauté cible") sont à l'origine d'une prise de conscience interculturelle. Il faut souligner que la prise de conscience interculturelle inclut la conscience de la diversité régionale et sociale des deux mondes. Elle s'enrichit également de la conscience qu'il existe un plus grand éventail de cultures que celles véhiculées par les L1 (langue maternelle) et L2 (langue seconde) de l'apprenant. Cela aide à les situer toutes deux en contexte » (*ibid.*, p. 83).

Ce que signifie concrètement cette prise de conscience est également décrit :

« Les aptitudes et les savoir-faire interculturels comprennent
– la capacité d'établir une relation entre la culture d'origine et la culture étrangère ;
– la sensibilisation à la notion de culture et la capacité de reconnaître et d'utiliser des stratégies variées pour établir le contact avec des gens d'une autre culture ;
– la capacité à jouer le rôle d'intermédiaire culturel entre sa propre culture et la culture étrangère pour gérer efficacement des situations de malentendus et de conflits culturels ;
– la capacité à aller au-delà de relations superficielles stéréotypées » (*ibid.*, p. 84).

Sous la rubrique *savoir-être*, les auteurs du CECR précisent pertinemment que l'activité de communication peut être affectée par des facteurs personnels et en particulier par les attitudes de l'apprenant en termes :
« – d'ouverture et d'intérêt envers de nouvelles expériences, les autres, d'autres idées, d'autres peuples, d'autres civilisations ;
– de volonté de relativiser son point de vue et son système de valeurs culturels ;
– de volonté et de capacité de prendre ses distances par rapport aux attitudes conventionnelles relatives aux différences culturelles » (*ibid.*, p. 84).

Ces différents types d'approches et le développement de l'ouverture aux autres peuvent être mobilisés et entraînés dès le début de l'apprentissage d'une langue. Cet apprentissage est également transversal ; il concerne toutes les matières enseignées dans le système scolaire et ne se termine pas avec la fin de la scolarité. Il se poursuit au contraire tout au long de la vie.

3 Le locuteur interculturel

« Dans la confrontation avec l'autre, c'est une définition de soi qui se construit. »

Geneviève Zarate

A. L'identité : singulière ou plurielle ?

« Pour être soi, il faut se projeter vers ce qui est étranger, se prolonger dans et par lui. Demeurer enclos dans son identité, c'est se perdre et cesser d'être. On se connaît, on se construit par le contact, l'échange, le commerce avec l'autre. Entre les rives du même et de l'autre, l'homme est un pont. »

Jean-Pierre Vernant

Si l'on remonte à l'étymologie latine, le terme « identité » dérive d'*identitas* (issu d'*idem* soit *le même*), étant ainsi communément assimilé à tort à ce qui est identique et permanent. L'identité est multiple, pluridimensionnelle et évolutive. Amin Maalouf, écrivain franco-libanais, la définit ainsi : « mon identité, c'est ce qui fait que je ne suis identique à aucune autre personne » (Maalouf, 1998, p. 15). L'identité peut être personnelle, culturelle, professionnelle, sociale, etc.

Alex Mucchielli distingue quant à lui cinq types de référents identitaires :

- *les référents écologiques* (les caractéristiques et les influences de l'environnement) ;
- *les référents matériels et physiques* (les possessions matérielles et les apparences physiques) ;
- *les référents historiques* (les origines, les événements marquants du passé) ;
- *les référents culturels* (liés au système d'appartenance et au système cognitif) ;
- *les référents psychosociaux* (liés aux références sociales, aux images identitaires comme les stéréotypes, les appartenances culturelles, les symboles et signes extérieurs) (Mucchielli, 1999, p. 12-24).

Ainsi, pour tenter de définir sa propre identité, l'individu sélectionne certains de ces référents identitaires. En outre, il ne dispose pas toujours de la totalité des informations.

Deux dimensions interviennent dans la construction de l'identité : la dimension avec soi-même et la dimension de la relation avec les autres. C'est grâce à cet autre que l'individu se forge une identité distincte qui ne sera plus « une », mais plurielle, en permanente (re)construction grâce à la relation à l'autre.

B. Les compétences

Selon le CECR, dans le contexte européen, apprendre une langue, c'est acquérir des compétences communicatives et des compétences générales qui peuvent être ciblées dans une perspective interculturelle.

Quatre types de savoirs sont associés à la compétence interculturelle :

- *les savoirs* : connaissances à acquérir issues des regards croisés, c'est-à-dire comment chacun apparaît dans l'optique de l'autre ;
- *les savoir-être* : attitudes à développer : relativiser son système de références culturelles, s'ouvrir à l'altérité, se décentrer ;
- *les savoir-faire* : aptitudes à établir un contact et une relation entre les cultures, jouer un rôle d'intermédiaire culturel, gérer les malentendus culturels et être capable d'effectuer un retour réflexif sur sa propre culture, etc. ;
- *les savoir-apprendre* : mobilisation de tous les savoirs précédents pour découvrir de nouvelles expériences et de nouveaux comportements, valeurs, croyances, en d'autres termes, « être disposé à découvrir l'autre ».

Avec l'introduction de la dimension interculturelle dans l'enseignement des langues, l'apprenant-locuteur doit être capable à la fois de communiquer des informations et d'interagir avec des locuteurs d'autres langues-cultures. Par extension, la démarche permet de percevoir et de conscientiser la diversité des identités culturelles présentes au sein d'un même groupe classe.

C. La rencontre interculturelle

Que se passe-t-il lorsque « Je » rencontre « Autrui » ? Schématiquement, trois démarches peuvent être identifiées.

- Dans une première démarche, on projette inconsciemment notre système de références culturelles sur autrui qui est considéré comme un être étrange et aux comportements bizarres. L'approche est souvent méfiante, voire craintive.
- Dans une deuxième démarche, autrui est appréhendé comme un individu ayant des normes propres, différentes des nôtres ; la différence est donc reconnue, mais aucun retour sur ses propres référents culturels n'est opéré.
- Dans la troisième démarche, la relativité du système culturel d'autrui est accompagnée d'un retour réflexif sur sa propre culture et par conséquent, le système culturel de référence personnel n'est plus érigé en modèle unique et supérieur.

Dans une rencontre interculturelle, le locuteur évolue au sein d'un espace où cohabitent et s'entrecroisent plusieurs cultures. Le locuteur interculturel devient à la fois conscient de sa propre identité et de celle de ses interlocuteurs. Il devient en mesure d'accepter la réciprocité des regards. En ce sens, il est capable de vivre avec et dans la diversité culturelle.

Fiche 1

A1 et +

45 min.

Présentations

Objectifs

■ Établir le contact dans un groupe.
■ Apprendre à se connaître en dépassant la simple fiche d'identité.
■ Mettre en évidence la complexité de l'identité individuelle.

Étape 1

■ Chaque apprenant se présente en donnant une information personnelle qui lui semble pertinente.
■ Consigne : *Présentez-vous en utilisant les structures suivantes :*
– une phrase qui commence par « j'ai » ou « je n'ai pas ».
– une phrase qui commence par « j'aime » ou « je n'aime pas ».
– une phrase qui commence par « je suis » ou « je ne suis pas ».
■ Laisser aux apprenants quelques minutes pour préparer leur présentation. Puis chaque apprenant donne à tour de rôle une information sur lui-même. Quand tout le monde a parlé, refaire un tour de table où chaque apprenant donne une information et désigne qui parlera ensuite.

Étape 2

■ Chaque apprenant se présente en donnant une nouvelle information personnelle qui lui semble pertinente. Il associe sa présentation aux cinq sens.
■ Consigne : *En cinq minutes, complétez le texte suivant.*

Ce que j'aime sentir, c'est ....

Ce que j'aime regarder, c'est ....

Ce que j'aime écouter, c'est ....

Ce que j'aime goûter, c'est ....

Ce que j'aime toucher, c'est ....

■ Mise en commun. Chaque apprenant se présente en lisant son texte.

Pour aller plus loin

■ À partir de B1. Les apprenants vont raconter un souvenir lié à leur environnement personnel.
■ Consigne : *choisissez un des thèmes suivants et racontez votre souvenir.*
– Lorsque je suis arrivé ici pour la première fois, j'ai pensé …
– Le meilleur souvenir que j'ai de mon grand-père, de ma grand-mère, avec mon père, avec ma mère, avec mon meilleur ami / ma meilleure amie …
– Dans mon quartier, il y a une personne que j'admire …
– Le jour où mon fils / ma fille / mon frère / ma sœur est né(e) …
■ Mise en commun. Chaque participant raconte.

Nota : s'il y a un nombre important d'élèves, mettre le nom des participants sur des petits papiers et tirer le nom de huit ou dix élèves au hasard qui présenteront leur souvenir.

■ Variante : proposer de faire l'exercice à l'écrit.
Le sujet peut être aussi proposé comme thème de blog pour le groupe classe.

Fiche 2

A2 et +

45 min.

Enquête

Objectifs

- Se familiariser avec la notion de culture.
- Créer l'intérêt et la curiosité pour les autres membres du groupe classe.
- Prendre conscience de la diversité culturelle dans un groupe.
- Prendre conscience de l'interdépendance des pays.
- Être capable de restituer les résultats de ce que l'on a observé.

Étape 1

- Consigne : *Faites la liste des vêtements que vous portez.*
- Mise en commun. On fait un tour de table. Chaque apprenant cite un vêtement : « Je porte une chemise bleue. » « Je porte des tennis. » etc.
- Consigne : *Essayez d'identifier où sont fabriqués les vêtements que vous portez.*
- Mise en commun. Chaque apprenant cite à nouveau un vêtement : « Mes chaussures sont fabriquées au Vietnam. » « Mon pull est fabriqué en Chine. » etc.
- Consigne : *Faites la liste des plats ou des spécialités culinaires d'origine étrangère dans votre pays. De quels pays sont-ils originaires ?*
- Mise en commun. Chaque participant propose un plat ou une spécialité de son pays d'origine.
- Noter les noms des pays cités au tableau.
- À partir de B1. Question : *Quelles conclusions tirez-vous de ces observations ? Pourquoi la plupart des produits viennent de différents pays ?*

Étape 2

Enquête en petits groupes de cinq apprenants.
Laisser 5 à 10 minutes de travail en commun.

- Consigne : *Vous allez faire une enquête avec cinq questions dans votre groupe.*

– Qui a un père originaire d'une autre nationalité que la sienne ? Si oui, de quelle nationalité ?
– Qui a une mère d'une autre nationalité que la sienne ? Si oui, de quelle nationalité ?
– Qui a une partie de sa famille qui vit dans un autre pays ? Si oui, lequel ?
– Quelles langues sont parlées ou comprises dans le groupe ?
– Qui a voyagé dans d'autres pays que le sien ? Si oui, lesquels ?

- Mise en commun. Chaque élève présente les résultats d'une question pour son groupe sans citer de nom. Chaque apprenant présente les résultats d'une question : « Deux personnes ont un père d'une autre nationalité. Un père est chinois, l'autre mexicain. » etc.

Pour aller plus loin

Faire en commun la liste des nationalités représentées dans la classe, des langues parlées ou comprises et des pays visités par les participants sous la forme d'un texte à compléter.

■ Consigne : *Complétez le texte suivant :*

Dans ma classe, il y a .... nationalités représentées.

Dans la classe, les membres du groupe parlent ou comprennent les langues suivantes :

– ....

– ....

– *etc.*

Dans ma classe, les participants sont déjà allés dans les pays suivants :

– ....

– ....

– *etc.* »

■ Chaque participant reçoit une copie du texte créé.

Fiche 3

A2 et +

45 min.

Points communs – différences

Objectifs

- Apprendre à se connaître, à passer du « je » au « nous ».
- Comparer ses goûts et ses habitudes avec ceux des autres.
- Savoir reconnaître les caractéristiques de sa propre culture.

Étape 1

- Consigne : *À deux, en six minutes, trouvez douze points communs entre vous.*

Par exemple : « Nous sommes deux garçons/hommes » ou « Nous apprenons le français. » etc.

- Mise en commun. À tour de rôle, en alternant les voix, les binômes exposent leurs réponses aux autres groupes.

Nota : suivant le niveau linguistique du groupe, diminuer ou augmenter le nombre de points communs à trouver. C'est un excellent exercice pour travailler les actes de parole : s'informer sur quelqu'un / parler de soi, de ses goûts, de son environnement.

Étape 2

- Consigne : *À trois, dans chacune des rubriques suivantes, trouvez un point commun ou une différence entre vous.*

VIE QUOTIDIENNE	LANGUES PARLÉES
LOISIRS	RELIGION
ALIMENTS QUE VOUS AIMEZ OU DÉTESTEZ	TRADITION FAMILIALE

- Mise en commun. Chaque groupe présente le résultat de l'enquête au reste de la classe. Chaque participant présente les résultats de deux rubriques traitées.

Pour aller plus loin

- Consigne : *Quelle information nouvelle avez-vous apprise sur un autre membre du groupe ? Par exemple : « Peter est musicien. »*

- À partir de B1. Discussion informelle à partir de questions au groupe.

– Certains points communs entre vous et les autres membres du groupe sont-ils inattendus ? Lesquels ?

– Attachez-vous plus d'importance aux points communs ou aux différences ? Expliquez pourquoi.

Fiche 4

Appartenances

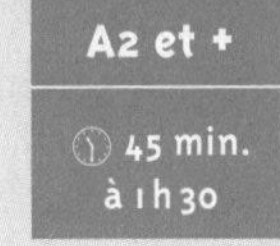

Objectifs

- Prendre conscience de l'appartenance à plusieurs groupes d'identification.
- Apprendre à réfléchir sur les groupes d'appartenance et leurs règles.
- Prendre conscience de l'identité plurielle.
- Être capable de présenter les résultats de ce que l'on a observé.

Étape 1

- Consigne : *Répondez aux questions suivantes :*

– Depuis quand apprenez-vous le français ?
– Depuis quand êtes-vous dans ce groupe ?
– Combien d'heures par semaine consacrez-vous à l'apprentissage du français ?
– Quels sont les horaires des cours ?

- Mise en commun. Chaque participant répond.
- Consigne : *À deux, répondez aux questions suivantes :*

– Quelles sont les activités principales dans le cours ?
– Quelles sont les obligations du cours ? (Par exemple : on doit apprendre les mots nouveaux.)
– Qu'est-ce qui est interdit pendant les cours ? (Par exemple : il est interdit de fumer.)

- Mise en commun en faisant parler à tour de rôle chaque binôme.

Étape 2

- Consigne : *Chacun a plusieurs groupes d'appartenance, par exemple, le groupe qui apprend le français. À deux, entraidez-vous pour faire la liste la plus complète possible de chacun de vos groupes d'appartenance. Par exemple : la communauté nationale, la famille, le club de football, etc.*
- Mise en commun sous la forme d'une prise de parole de chaque participant. Exemple : « Je suis membre de ma famille. » « Je suis membre de la chorale. » etc.

Pour aller plus loin

- A2. Consigne : *Choisissez un de vos groupes d'appartenance et listez en cinq lignes les activités et règles de ce groupe. Par exemple : « Le groupe se rencontre le mardi. »*
- À partir de B1. Consigne : *Choisissez un de vos groupes d'appartenance et listez à l'écrit les activités de ce groupe. Indiquez les informations suivantes :*

– Depuis quand êtes-vous membre de ce groupe ?
– Comment peut-on devenir membre ?
– Quelles règles doit-on respecter ?
– Peut-on être exclu ? Si oui, pour quels motifs ?
– Expliquez pourquoi vous vous sentez bien ou non à l'intérieur de ce groupe.

▪ Mise en commun à l'oral : quelques participants volontaires présentent leur groupe d'appartenance à l'oral. L'enseignant demande quelques précisions sur le fonctionnement du groupe présenté : *vous êtes nombreux ? Comment le groupe prend des décisions ? Etc.* Il demande ensuite aux autres participants s'ils souhaitent poser des questions.
Les productions écrites seront corrigées par l'enseignant(e).

Nota : Il est indispensable de respecter la vie privée et de ne forcer personne à parler d'un sujet personnel s'il ne le souhaite pas.

Variantes

Variante un

▪ Proposer un extrait de film ou un reportage mettant en scène un groupe sportif par exemple et demander aux participants de répondre aux questions suivantes :
Comment peut-on entrer dans le groupe ?
Quelles sont les qualités nécessaires ?
Comment est la vie quotidienne pour ce groupe ?
Quelles règles doit-on respecter ?
Ici, nous sommes dans la compétition, quelles sont les règles par rapport aux adversaires ?
Dans quelles circonstances un membre peut-il être exclu du groupe ?

Variante deux

▪ Consigne : *À deux, recherchez sur Internet une association ou un club, par exemple, le Rotary ou un club de jeu, ou autre. Trouvez les informations sur les activités de ce groupe et ses règles et présentez-les en cinq minutes au groupe classe.*

Fiche 5

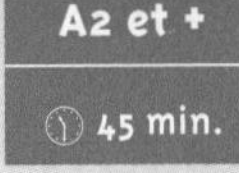

Identité(s)

Objectifs

- Réfléchir sur la notion d'identité.
- Prendre conscience de la richesse des composantes d'une identité.
- Prendre conscience de la relation entre identité et altérité.
- Prendre conscience des limites culturelles de la vie privée.

Étape 1

- Consigne : *À deux, listez les informations qu'on trouve sur une carte d'identité.*
- Mise en commun. Chaque groupe propose à tour de rôle une information présente sur un passeport jusqu'à avoir la liste complète.
- Consigne : *À deux, listez les informations sur une personne qui sont importantes, mais qui ne sont pas inscrites sur une carte d'identité.*
- Mise en commun. Chaque groupe propose une idée, puis discussion informelle.
- B1. Consigne : *À deux, en vous inspirant de l'exercice précédent, donnez une définition de l'identité.*
- Mise en commun. Chaque groupe lit sa définition, puis discussion informelle en grand groupe.

Étape 2

- Consigne : *En groupes de quatre, listez les éléments qui concernent votre identité et qu'il est possible d'indiquer sur la « page-profil » d'un réseau social. Selon vous, quels sont les éléments indispensables sur ce type de page ? Lesquels le sont moins ?*
Quels sont les éléments qui appartiennent au domaine de la vie publique et ceux qui appartiennent au domaine de la vie privée ? Que pensez-vous du fait de publier des informations personnelles sur Internet ?
- Mise en commun. Un premier groupe présente ses résultats. Les autres groupes complètent les informations données.
- Consigne : *Individuellement, choisissez un pseudonyme et créez un profil réel ou imaginaire avec les informations demandées sur la page profil d'un réseau social. Publiez-le sur Internet si vous le souhaitez. Séparez les données publiques des données privées.*

Pour aller plus loin

- Consigne : *On ne veut pas toujours répondre à certaines questions. En petits groupes, trouvez huit questions auxquelles vous ne souhaitez pas répondre.*
- Mise en commun. Chaque participant propose une question.
- En commun. *Quelles sont les caractéristiques de ces questions taboues ? Ont-elles des points communs ? Lesquels ? D'après vous, ces questions sont-elles les mêmes selon les cultures ?*
- Discussion en grand groupe.

→ Voir aussi la fiche sur l'identité sur le site www.canalacademie.com, onglet espace apprendre, rubrique Société, fiche « Qu'est-ce que l'identité ? » avec Jean-Claude Kaufmann qui propose de nombreuses pistes de réflexion.

Fiche 6

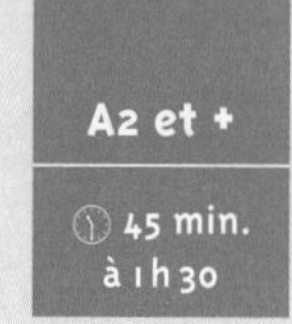

On a tous le même... soleil

Objectifs

- Prendre conscience des différences ou des points communs dans un groupe.
- Prendre conscience de l'individualité de chaque membre d'un groupe.
- Appréhender positivement la différence.

Matériel

Chanson de Grégoire *Soleil* et vidéo sur la chanson Francis Cabrel *Des hommes pareils*, accessibles sur www.youtube.com

Étape 1

- Consigne : *Discutez en groupes de quatre. D'après vous, quels sont les points communs à tout le groupe dans la classe ? Quels sont les éléments qui ne sont pas communs ?*
Exemples : « On a tous le même soleil. » « On apprend tous le français » ; « On n'a pas tous les mêmes chaussures. » etc.
1 – On a tous le même / la même / les mêmes…
2 – On n'a pas tous le même / la même / les mêmes…
- Mise en commun : Chaque participant propose une idée.
- À partir de B1, discussion en grand groupe : *« Est-ce que faire partie d'un groupe impose de ressembler aux autres ? »*

Étape 2

- Rechercher sur Internet les paroles de la chanson de Grégoire *Soleil* et proposer les activités suivantes aux apprenants.
- Consigne : *En groupes de quatre, repérez dans la chanson les éléments donnés qui nous caractérisent et ceux qui nous différencient.*
- Mise en commun. Chaque groupe propose à tour de rôle un exemple choisi dans la chanson.
- Consigne : *En groupes de quatre. Selon vous, quel est le message de l'auteur ? Quelle est votre opinion sur ce message ?*
- Consigne : *À deux, en cinq minutes, écrivez une autre strophe pour la chanson de Grégoire sur le modèle « on a tous le même / la même / les mêmes… On n'a pas tous le même / la même / les mêmes… ».*
- Mise en commun : Chaque groupe lit son texte.

Pour aller plus loin

- En centre de ressources, demander aux participants d'aller sur le site www.youtube.com et de taper dans l'onglet de recherche « Francis Cabrel des hommes pareils ».
- Visionner l'une des vidéos proposées, réalisées à partir d'un montage de photographies défilant sur la chanson de Francis Cabrel.

- Consigne : *À deux, essayez d'identifier les continents, les pays et les types de populations visibles dans la vidéo.*
- Mise en commun. À tour de rôle, chaque participant propose une idée.
- Consigne : *À deux, choisissez deux personnages présentés dans la vidéo et faites-en une description physique aussi précise que possible.*
- Mise en commun. Chaque groupe présente oralement un personnage.
- Consigne : *En groupes de trois, lisez attentivement les paroles. Quels sont les points communs entre le texte et les images présentées ? Quel est selon vous le message de la chanson ? Quelle est votre opinion sur ce message ?*
- Mise en commun. Un groupe présente le message de la chanson. Les autres groupes complètent la version du message donnée par le premier groupe. Puis discussion collective sur le message retenu.

Fiche 7

B1 et +

45 min.

L'iceberg

Objectifs

- Se familiariser avec la notion de culture.
- Prendre conscience des faces cachées et non cachées de la culture.
- Remettre en question la représentation personnelle de la culture.

Étape 1

- Consigne : *En groupes de trois, listez les éléments qui, selon vous, font partie d'une culture, par exemple, la littérature. Classez ces éléments dans des catégories.*
- Mise en commun. Chaque participant nomme un élément jusqu'à ce que tous les groupes aient pris la parole.

Étape 2

- Consigne : *La culture est parfois comparée à un iceberg. Certaines caractéristiques de la culture seraient visibles et d'autres cachées. Que pensez-vous de cette affirmation ?*
- Discussion en petits groupes puis mise en commun et discussion avec l'ensemble du groupe.
- Consigne : *À votre avis, quels éléments correspondent à la partie visible et quels éléments à la partie invisible de la culture ? Expliquez pourquoi.*
- Discussion en petits groupes puis mise en commun et discussion en grand groupe.
- Consigne : *Replacez les caractéristiques suivantes dans la partie visible ou immergée du schéma de l'iceberg.*

  règles de politesse – histoire – alimentation – littérature – valeurs – croyances – comportements – codes culturels – langue – humour – notion de temps – notions d'espace et de distance – géographie – musique – gestes – art.
- Mise en commun. Comparaison des résultats de chaque groupe et discussion sur les raisons du choix de localisation des éléments.

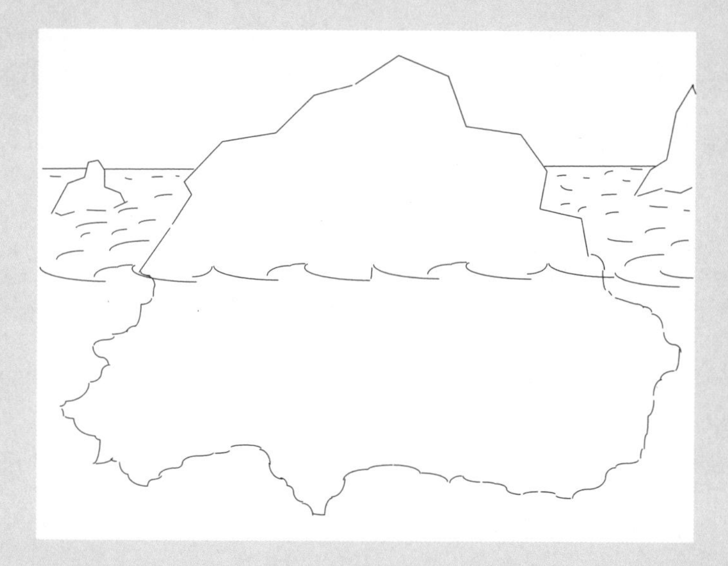

– Quelles sont, selon vous, les caractéristiques les plus représentatives d'une culture? Celles visibles, celles cachées ou les deux? Justifiez votre réponse.
– Expliquez pourquoi vous avez placé tel ou tel mot dans la partie visible ou invisible de l'iceberg.
– Pensez-vous que l'énumération de toutes les composantes d'une culture soit possible? Pourquoi?

→ **Des propositions de corrections sont disponibles sur le site des PUG (www.pug.fr).**

Pour aller plus loin

■ Consigne: *En petits groupes, donnez une définition de la culture. Comparez votre définition avec la définition trouvée dans un dictionnaire.*
Comparez la définition donnée dans un dictionnaire dans votre langue maternelle et celles de dictionnaires en langue étrangère.
■ Mise en commun. Présentation des résultats par un groupe, puis les autres groupes interviennent pour commenter les résultats du premier groupe qui a parlé.

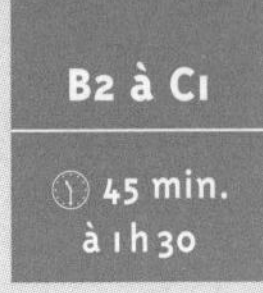

Fiche 8

France culture

Objectifs

- Identifier les différentes dimensions d'une culture.
- Acquérir un savoir sur une culture étrangère.
- Proposer des moyens pour appréhender une culture étrangère.

Matériel

Vidéo « France culture » d'Arnaud Fleurent-Didier accessible sur www.youtube.com.

Étape 1

- Consigne : *En groupes de trois, faites la liste la plus complète possible des éléments qui vous paraissent caractéristiques de la culture française.*
- Mise en commun. Chaque groupe propose un élément à tour de rôle.

Étape 2

Deux variantes possibles

En face à face pédagogique ou en travail en centre de ressources.

En classe, l'enseignant fait visionner la vidéo *France culture*, clip de la chanson d'Arnaud Fleurent-Didier.

En centre de ressources, l'enseignant demande aux apprenants de taper « France culture » dans le moteur de recherche du site www.youtube.com. Choisir la vidéo intitulée « France culture » d'Arnaud Fleurent-Didier.

- Consigne : *Regardez la vidéo et réalisez les activités suivantes :*

– Relevez les mots que vous entendez et qui apparaissent simultanément à l'écran.
– Classez ces mots dans des catégories, par exemple « Langues ».
– Listez ces catégories dans les colonnes du tableau ci-dessous.

Domaine de la vie intellectuelle	Domaine de la vie quotidienne

- Mise en commun. Les apprenants doivent expliquer pourquoi ils ont classé les mots dans telle ou telle colonne.

■ Question : *Certaines catégories peuvent-elles à la fois appartenir au domaine de la vie intellectuelle et à la vie quotidienne ? Si oui, lesquelles ?*

Pour aller plus loin

■ Consigne : *Vous souhaitez vous renseigner sur la culture d'un pays que vous ne connaissez pas. À trois, faites une liste de dix questions que vous allez poser.*
■ Mise en commun.
1. – Chaque groupe propose trois exemples de questions.
2. – Il y a certainement dans le groupe classe des personnes qui appartiennent simultanément à plusieurs cultures. Les participants posent les questions préparées à ces apprenants.
■ Consigne : *En groupes de trois, essayez de répondre aux questions que vous avez rédigées à propos de votre pays d'origine.*

Fiche 9

B1 et +

45 min. à 1 h 30

Culture ou cultures

Objectifs

- Réaliser une enquête.
- Prendre conscience de la diversité des personnalités présentes dans le groupe classe.
- Susciter l'intérêt pour les autres membres du groupe classe.
- Comprendre la notion de pluralisme culturel.
- Analyser des résultats d'une enquête sur le pluralisme culturel.

Étape 1

- Consigne : *D'après vous, tous les habitants d'un pays ont-ils la même culture ? Illustrez votre réponse avec des exemples.*

Les apprenants travaillent d'abord en petits groupes, puis on élargit la discussion à l'ensemble du groupe classe.

Étape 2

- Consigne : *À l'aide du questionnaire suivant, interrogez dix personnes dans le groupe classe puis répondez vous-même au questionnaire. Vous présenterez ensuite les résultats de votre enquête.*

Avez-vous le sentiment d'avoir plusieurs cultures différentes ?

☐ *Oui* ☐ *Non*

Si oui, de quel type de culture pensez-vous être porteur ? (Plusieurs réponses sont possibles)

☐ *De la culture de mon pays d'origine.*
☐ *De la culture de mon pays de résidence.*
☐ *D'une culture régionale.*
☐ *D'une culture religieuse.*
☐ *Autre : laquelle ?* ....

- Mise en commun des résultats. Chaque enquêteur fait part de ses constatations en ne citant aucun nom.
- Question : *À partir de ces résultats, comment peut-on définir le pluralisme culturel ?*

Pour aller plus loin

- Consigne : *Consultez le site de la TNS Sofres (Organisme français d'études de marketing et d'opinion) à l'adresse* www.tns-sofres.com. *Recherchez dans le moteur de recherche « Les Français et la diversité » et comparez les résultats de l'enquête réalisée dans le groupe classe avec ceux de l'enquête sur les Français par l'organisme de sondage.*

Quelles sont vos conclusions ?

- Consigne : *Choisissez un autre thème d'enquête sur le site* www.tns-sofres.com *(avec la recherche « les Français ») et répondez aux questions de l'enquête. Pour quelles questions êtes-vous proches de la plupart des Français ? Pour lesquelles êtes-vous le plus éloigné ?*

Fiche 10

B1 et +

45 min. à 1 h 30

Peut-on rire de tout ?

Objectifs

- Prendre conscience des faces cachées d'une culture.
- Prendre conscience du caractère culturel de l'humour.

Étape 1

- Consigne : *En petits groupes, lisez la liste suivante et dites s'il est possible de rire et de faire de l'humour sur les sujets concernés.*

- soi-même ;
- les personnes à handicap physique ou mental ;
- la religion ;
- les signes représentatifs de l'État (le drapeau, l'hymne, les institutions, le chef de l'État, etc.) ;
- la famille ;
- l'armée, etc.

De quoi ou de qui n'est-il pas possible de se moquer dans votre pays ?

- Mise en commun. Un groupe présente ses résultats, puis les autres groupes disent s'ils sont d'accord ou non avec la présentation du premier groupe.

Étape 2

Pierre Desproges (1939-1988) était un humoriste français, célèbre et apprécié pour son humour noir. Il a notamment écrit un livre intitulé *Les étrangers sont nuls* dans lequel il joue avec les stéréotypes et se moque implicitement du racisme.
En voici quelques extraits :

Les Anglais

« [...] Les deux caractéristiques de l'Anglais sont l'humour et le gazon. Sans humour et sans gazon, l'Anglais s'étiole et se fane [...]. L'Anglais tond son gazon très court, ce qui permet à son humour de voler au ras des pâquerettes. Comment reconnaître l'humour anglais de l'humour français ? L'humour anglais souligne avec amertume et désespoir l'absurdité du monde. L'humour français se rit de ma belle-mère. »

Les Suisses

« Les Suisses sont neutres. Cela signifie qu'ils sont garantis sans colorants et qu'ils ne sont pas traités, sauf de cons par les Belges qui les méprisent avec fougue. »

Les Chinois

« Penchons-nous sur un Chinois moyen. C'est facile, le Chinois moyen est tout petit. Qu'observons-nous ? Le Chinois moyen est exactement comme un Japonais. On ne peut absolument pas distinguer un Chinois d'un Japonais. C'est vraiment pareil. »

- Consigne : *En vous inspirant des textes de Pierre Desproges, rédigez une présentation humoristique et ironique de votre propre nationalité.*
- Mise en commun. Lecture des textes.

Nota : L'exercice peut être fait à plusieurs (deux ou trois participants), si ceux-ci sont issus de la même culture.

Pour aller plus loin

■ Consigne : *Que pensez-vous de cette citation de Pierre Desproges : « On peut rire de tout, mais pas avec n'importe qui. »*

Variante un

Les participants discutent en petits groupes puis font une mise en commun des idées.

Variante deux

L'enseignant demande aux apprenants une production écrite de 250 mots sous forme d'article d'opinion pour réagir à cette citation.

■ Consigne : *Racontez une histoire drôle.*

Les participants travaillent à deux pour préparer le récit, puis ils racontent leur histoire.

Fiche 11

B1 et +

45 min. à 1 h 30

De toutes les couleurs

Objectifs

- Identifier les implicites culturels associés aux couleurs.
- Découvrir et comprendre des expressions idiomatiques.

Étape 1

- Consigne : *À trois, dites à quels commerces ou services de votre pays vous associez les couleurs suivantes : jaune, vert, rouge, bleu.*

Par exemple, en France, le jaune est associé à La Poste, le vert à la pharmacie, le rouge aux pompiers et le bleu à la compagnie d'électricité EDF.

- Mise en commun. Présentation d'une couleur par groupe puis discussion.

Étape 2

- Consigne : *En groupes de trois, lisez la liste des expressions suivantes et expliquez ce qu'elles signifient selon vous.*

Être blanc comme neige
Rire jaune
Broyer du noir
Avoir du sang bleu
Voir la vie en rose
Voir rouge
Avoir la main verte
Être rouge comme une tomate
La nuit tous les chats sont gris
Passer du blanc au noir
Aller de la brune à la blonde
Être marron
Passer à l'orange
Prendre des couleurs
Être fleur bleue

Les participants échangent leurs points de vue, puis chaque groupe propose la définition d'une expression.

Écrire au tableau ou projeter la liste des expressions ci-dessous.

▪ Consigne : *En petits groupes, attribuez les définitions correspondantes aux expressions proposées dans l'exercice précédent.*

Être innocent
Rire de façon forcée
Être déprimé
Être noble
Être heureux
Être en colère
Être très sentimental, naïf
Bronzer
Être doué pour l'entretien des plantes
Être rouge de honte, de timidité
Dans l'obscurité, il est facile de se tromper
Changer d'avis
Changer souvent de partenaire en amour
Être dupé
Passer de justesse à un feu tricolore / de circulation

▪ Mise en commun. Les participants travaillent en petits groupes. Puis chaque groupe propose une expression et la définition correspondante.

➔ En cas de doute sur la signification, consultez le corrigé sur le site des PUG (www.pug.fr)

▪ Consigne : *Mimez et / ou dessinez l'expression de votre choix pour la faire deviner aux autres.*

▪ Consigne : *Est-ce que ces expressions existent dans votre pays ? Y a-t-il d'autres expressions avec les couleurs ? Quelle est leur signification ?*

Pour aller plus loin

▪ Consigne : *Présentez le code couleur éventuel utilisé dans votre pays pour les événements suivants :*

– la naissance d'un garçon ou d'une fille ;
– le premier jour à l'école ;
– le mariage ;
– les soirées habillées ;
– les funérailles.

▪ Discussions en petits groupes, puis présentation des résultats.

➔ Voir aussi la fiche sur l'identité sur le site www.canalacademie.com, onglet L'espace apprendre, rubrique Société, fiche « Les couleurs et le sport » de Michel Pastoureau où vous trouverez d'autres pistes de travail.

Fiche 12

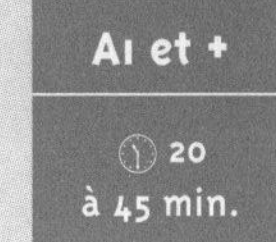

Des pieds à la tête

Objectifs

- S'entraîner à percevoir son environnement consciemment.
- Contribuer à créer des liens d'intérêt des participants les uns face aux autres.
- Changer sa façon de regarder l'autre.
- Prendre conscience du groupe d'appartenance.

Étape 1

- Consigne : *En une minute, mémorisez le maximum de caractéristiques physiques et vestimentaires des personnes qui font partie du groupe.*

Choisir un participant et lui demander de se mettre à l'arrière du groupe pour être non visible par les autres participants. Demander aux membres du groupe de donner le maximum d'informations physiques et vestimentaires sur le participant choisi.

Étape 2

L'enseignant demande aux apprenants de se regrouper au milieu de la classe et de former des groupes selon les consignes qu'il va donner.

- Exemple de consigne : *« Regroupez-vous par couleur de chaussures ! »*

Critères possibles : les couleurs des vêtements, la taille, la pointure, la longueur des cheveux, etc. ou les accessoires comme : la montre, les bagues, les sacs / cartables, les téléphones portables, les lunettes, etc.

L'enseignant classe les critères en partant du bas pour aller vers le haut du corps.

- Selon les niveaux, l'enseignant pose les questions suivantes :

- A1. *Avec quelle(s) personne(s) avez-vous le plus de points communs ? Quels sont ces points communs ?*

- A2 / B1 / B2. *Quelle(s) personne(s) avez-vous le plus souvent retrouvée(s) dans les groupes ? Partagez-vous des points communs avec l'ensemble des participants ?*

Pour aller plus loin

- À partir de B1. Consigne : *En petits groupes, présentez en quelques phrases les caractéristiques de la mode actuelle dans votre pays.*

Quelles parties du corps sont jugées comme indécentes à montrer ou, au contraire, doivent être visibles pour attirer le regard positivement ?

Selon vous, la mode est-elle en train de devenir universelle, identique pour tous ?

- Discussion en petits groupes, puis mise en commun.

PARTIE 2 ▪ Favoriser la rencontre interculturelle

« On ne connaît que les choses que l'on apprivoise. »

Antoine de Saint-Exupéry

La rencontre avec d'autres cultures, l'acceptation, la perception même de la différence demandent un effort. Chacun a sa représentation de la rencontre et un rapport personnel à l'altérité. La volonté de découvrir, la curiosité, la confiance dans l'échange ne vont pas d'elles-mêmes. Elles exigent une évolution de l'attitude. Il est donc nécessaire, selon Gilles Verbunt de faire « une vraie gymnastique de l'esprit » (Verbunt, 2011, p. 148).

1 La rencontre de l'autre

« Découvrir les autres, c'est s'ouvrir à une relation et non se heurter à une barrière. »

Claude Levi-Strauss

A. Le choc culturel

Lorsque des locuteurs de cultures différentes se rencontrent, il existe généralement un décalage des perceptions entre eux et à un degré extrême, un « choc culturel ». En effet, les individus portent en eux un système de référence qui est érigé en modèle de référence unique. L'envie de rencontrer l'autre ne va pas de soi, il peut y avoir une incompréhension voire un rejet. Il est à la fois complexe de comprendre et d'être compris par autrui. Robert Galisson nomme ce phénomène la « déportation » culturelle (Galisson, 1997, p. 9-33) qui peut s'extérioriser par différents « symptômes » tels que le repli sur soi, les tensions et conflits, l'hostilité, la colère, voire des troubles d'ordre physique.

L'appréhension de l'altérité pourrait être schématiquement illustrée par trois étapes :

- *L'étape idyllique* appelée « lune de miel » dans laquelle le locuteur découvre un monde nouveau où tout lui apparaît beau et positif, voire agréablement différent. À titre d'exemple, lors d'un voyage de loisirs, les premières approches de la culture étrangère sont en général positivement orientées, car c'est un regard de type « circuit touristique » qui est porté sur l'autre ; il n'y a pas de véritable rencontre.

- *L'étape de « la survie »*, celle des contacts complexes et parfois tendus entre les cultures. Cette étape se caractérise par la redécouverte des différences culturelles qui deviennent à ce moment plus frappantes. L'interprétation des codes, des gestes, des modes de vie devient difficile, parfois même impossible. Les locuteurs ont des difficultés à les comprendre. C'est ce qu'on appelle à proprement parler *le choc culturel*. Les points de repère se font tellement rares que l'individu est déstabilisé.

Ses références refuges étant celles de sa culture d'origine, il s'y accroche intuitivement. Ce regard ethnocentré sur la culture de l'autre conduit à des jugements globalisants et empêche d'accepter ce qui est différent.

- *L'étape d'adaptation.* Progressivement, le locuteur parvient à se sentir plus à l'aise, à mieux agir, mieux communiquer dans le même espace qui lui paraissait auparavant indécodable, impénétrable. La relativisation de son système de référence lui permet de dépasser le regard ethnocentré. La communication s'oriente vers les regards croisés, une compréhension et une acceptation mutuelles. L'étape d'adaptation est une phase d'adhésion, d'adoption de certaines valeurs morales qui s'opère graduellement.

Ce schéma global mérite d'être relativisé et remis en cause dans les relations interculturelles contemporaines.

Il arrive que l'individu qui vit dans un contexte exogène reconstruise les clichés autrefois remis en cause en s'appuyant de fait sur l'expérience de sa vie au quotidien. Il sélectionne les moments de vie qui renforcent sa vision partiellement dépréciative de la culture du groupe d'accueil. Il maintient ainsi son appartenance – son attachement – à son groupe d'origine.

La mondialisation de l'économie, du monde des affaires, le développement du tourisme de masse, les voyages lointains facilités par les compagnies aériennes *low cost*, le développement des échanges *via* Internet ou encore la multiplication des chaînes de télévision, les flux migratoires nombreux, contribuent à faire évoluer sensiblement le regard vers l'autre en créant une multitude de contacts entre différentes cultures. À de très rares exceptions près, chaque individu est lui-même issu d'un mélange culturel.

Enfin, il n'est plus possible aujourd'hui de réduire l'apprentissage d'une langue à la découverte d'une culture « étrangère » monolithique : de nombreuses langues sont associées à plusieurs cultures et systèmes de valeurs ; ainsi l'anglais, le français, l'espagnol ou le portugais sont-ils, par exemple, parlés sur plusieurs continents par des populations aux cultures et valeurs très différentes et ces langues sont utilisées par des locuteurs nombreux dont ce n'est pas la langue maternelle pour parler de leurs idées ou défendre leurs intérêts. L'étude d'une langue étrangère ne signifie donc plus une rencontre monoculturelle, mais au contraire, une possibilité de découvertes multiples justement orientées vers la rencontre interculturelle. La rencontre d'autres cultures, leur connaissance et leur compréhension ne signifient pas adhérer à ces cultures et adopter leurs valeurs, mais porter un regard conscient et réciproque sur l'autre, ce qui contribue à la construction de l'identité personnelle.

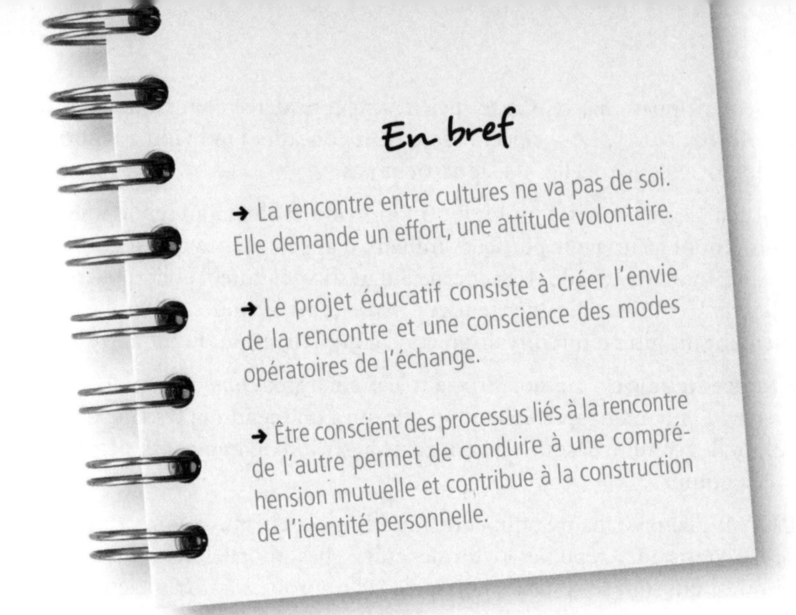

B. Les centrismes : l'égocentrisme, le sociocentrisme et l'ethnocentrisme

Dans le processus de la rencontre, il est important de prendre conscience des divers centrismes auxquels nous sommes soumis. Il existe trois types de centrismes :

- **L'égocentrisme** est un mot composé de deux termes latins : *ego* (moi) et *centrum* (centre). Étymologiquement, cela signifie « se centrer sur soi ».

L'égocentrisme est considéré comme la tendance naturelle de l'évolution de l'enfant qui consiste à se prendre pour le centre du monde et à penser que son existence dépend exclusivement de lui. Ce n'est qu'à partir de huit ans environ qu'il peut se mettre à la place de l'autre et sortir de son égocentrisme naturel. À ce stade, par le processus de socialisation, l'enfant s'identifie à un « nous collectif », au groupe auquel il pense appartenir (l'endogroupe), face aux « autres », à ceux qui n'appartiennent pas à ce groupe (l'exogroupe). En d'autres termes, il est capable de *se décentrer*.

En dépit de la socialisation et de l'éducation, certains adultes ne dépassent pas totalement ce stade naturel égocentrique de l'enfant. Ils restent centrés, polarisés sur eux-mêmes et leur manière de voir et d'interpréter le monde. Leur égocentrisme guide leurs attitudes, leurs jugements et leurs rencontres. Ils ne parviennent pas à relativiser leur point de vue, perçu comme le seul valable.

- **Le sociocentrisme** est formé de deux termes : le préfixe *socio* (société) et le terme latin *centrum*. L'individu est centré sur ce qu'il considère comme sa société, son groupe d'appartenance. Cette société sera considérée comme la meilleure et supérieure aux autres. Le sociocentrisme peut conduire l'individu à ignorer ou à rejeter les sociétés auxquelles il n'appartient pas.

Le sociocentrisme peut être multiple : un individu évoluant au sein d'une société ou d'un groupe peut avoir plusieurs milieux d'appartenance et d'identification : familiaux, professionnels, de classe sociale, linguistico-culturels, politiques, religieux, sexuels, etc. Ces milieux influencent et orientent ses attitudes et ses jugements et représentent un filtre d'interprétation et de compréhension du monde extérieur.

■ **L'ethnocentrisme** est un mot associant le préfixe grec *ethnos* (peuple) et le terme latin *centrum*. Étymologiquement, il signifie que l'on prend son système de références culturelles comme unique référent pour juger inférieurement et négativement les autres groupes.

En 1907, William Graham Summer définit l'ethnocentrisme comme « une attitude collective consistant à répudier les formes culturelles : morales, religieuses, sociales, esthétiques, qui sont les plus éloignées de celles propres à une société donnée. » (Summer in Colin & Müller, 1996, p. 289)

Dans l'histoire, les exemples sont nombreux. Dans la civilisation gréco-romaine, les autres étaient perçus comme des barbares ; à l'époque des Découvertes, la civilisation occidentale comparait l'autre à un être inférieur, dénué de pensée, à un sauvage.

Dans l'histoire des colonisations, les cultures des peuples colonisés n'étaient même pas perçues ou considérées comme des pratiques ancestrales antérieures à l'émergence d'une vraie civilisation. Le colonisateur devenait ainsi celui qui apporte la civilisation et la culture.

De l'ethnocentrisme découlent un jugement dépréciatif et un rejet des autres cultures. Un ethnocentrisme marqué induit la xénophobie et conduit au racisme.

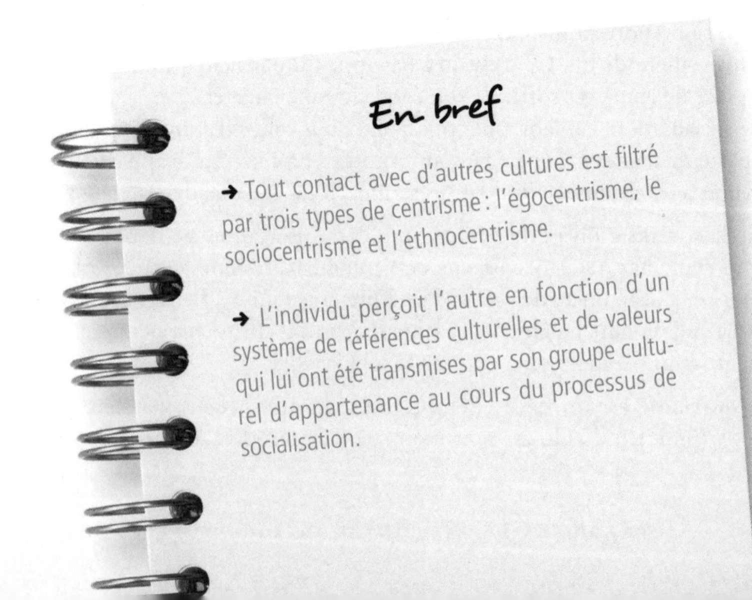

C. La décentration

L'outil mental fondamental pour réussir la rencontre avec l'autre et dépasser et surmonter les barrières est *la décentration.* Les locuteurs en présence se débarrassent de leurs lunettes « ego-socio-ethnocentriques » et acquièrent ainsi la faculté de développer une vision plus objective du monde dans lequel d'autres points de vue, d'autres manières de voir, d'autres structures de pensée seront perceptibles et reconnus comme légitimes.

Ce processus de décentration demande une volonté, un effort et un apprentissage. La peur de l'inconnu, de l'étranger, de ce qui n'est pas familier est naturelle. La décentration permet à l'individu d'aller à la rencontre de l'autre en renonçant à une position dominatrice et en dépassant la crainte. Elle implique d'être capable de ne plus ressentir la (les) culture(s) étrangère(s) comme une menace, mais au contraire comme une source d'enrichissement personnel et collectif. Elle permet aussi d'adopter une réflexion sur les propres référents culturels de son groupe d'appartenance. Se décentrer signifie donc s'ouvrir positivement à l'autre tout en effectuant un retour réflexif sur soi-même.

2 Les stéréotypes et les préjugés

Dans le langage courant, clichés, emblèmes, idées reçues, préjugés, représentations, stéréotypes sont, comme les mots civilisation et culture, communément employés comme synonymes. L'individu se définit par des appartenances multiples à plusieurs groupes : la famille, le groupe d'amis, le cercle scolaire ou professionnel, le club de loisirs, etc. jusqu'à la nationalité. Chaque groupe, pour exister, se reconnaît et se définit à travers des règles comportementales, un partage de valeurs, des codes linguistiques et les représentations qu'il a de lui-même et des autres. C'est là que cohabitent stéréotypes et préjugés.

A. Les stéréotypes

« Un Français, un homme intelligent, deux Français, de la conversation, trois Français, la pagaille ! »

Siegfried

Étymologiquement, le terme stéréotype est composé du préfixe *stéréo* dérivant de l'adjectif grec *stereos* (solide et opiniâtre) et du suffixe *type* désignant le caractère d'imprimerie ou l'image imprimée.

Les premiers usages du terme viennent du monde de l'imprimerie. En 1922, le journaliste américain Walter Lippmann utilise pour la première fois ce terme pour désigner les images dans notre tête qui s'intercalent entre la réalité et notre image de la réalité. Il s'agit alors d'une représentation collective et simplifiée d'un groupe.

Par exemple, les Français associent communément l'Espagne à la fiesta, à la paella, à la corrida, etc. ; l'Italie à la pizza, à Venise, à la mafia, etc. ; l'Angleterre à Big Ben, au *tea time*, au rosbeef ; le Portugal à la morue, au fado et à la pilosité abondante, etc.

Chaque groupe a une image de lui-même et des autres, ce qui conduit à deux types de stéréotypes : les autostéréotypes et les hétérostéréotypes. Le premier est la représentation communément partagée d'un groupe d'appartenance par rapport à lui-même, le regard sur soi, et le second est l'image que le groupe a des autres groupes.

Afin d'appréhender l'environnement complexe qui l'entoure, l'être humain filtre la réalité perçue à travers un processus cognitif de catégorisation qui conduit à la simplification et à la généralisation.

Le stéréotype peut naître d'une expérience vécue selon le principe globalisant suivant : « Lorsqu'on en a vu un, on les a tous vus ». Par exemple : « J'ai visité cette ville. Dans un magasin, la vendeuse n'était pas aimable. Donc, les habitants de cette ville ne sont pas accueillants. »

L'expérience est réelle et correspond au ressenti sincère de l'individu. C'est la conclusion qu'il en tire qui est erronée.

Le stéréotype peut naître aussi de constatations réelles ou très généralement observées.

Par exemple selon le syllogisme d'Aristote :
Tous les hommes sont mortels.
Or Socrate est un homme.
Donc Socrate est mortel.

Selon la même logique, un stéréotype pourrait s'énoncer ainsi :
Tous les Espagnols font la sieste.
Or M. Rodriguez est espagnol.
Donc M. Rodriguez fait la sieste.

Par ce système logique, erroné dans la seconde proposition, des caractéristiques physiques, psychologiques et comportementales sont attribuées globalement aux membres d'un groupe sans tenir compte des individus.

Ces représentations automatisées et simplifiées, cette globalisation ou généralisation d'une réalité perçue nous permet aussi de vivre en société. Sans cette faculté mentale de caractérisation, de classification et d'interprétation puis d'extrapolation d'un vécu vers une règle générale, il n'y aurait pas non plus d'intelligence, vue comme la capacité à s'adapter à des situations inconnues ; l'être humain ne pourrait ordonner sa pensée et appréhender son environnement et son expérience du monde. Dans le cas des stéréotypes, il s'agit de remettre en question les résultats de la généralisation et de démonter le processus mental pour rectifier les conclusions à partir d'observations objectives.

L'image que l'on se fait d'un groupe est le résultat d'un apprentissage social. Les stéréotypes ne sont pas innés, mais transmis par notre culture d'origine ou notre groupe d'appartenance. Ils sont véhiculés par des agents de socialisation tels que la famille, l'école (notamment par le biais des manuels scolaires), les médias et la publicité. Par ailleurs, les stéréotypes peuvent renseigner aussi bien sur le groupe qui les produit que sur les groupes ciblés par ces stéréotypes. Par exemple, pour un Français, vivant dans un pays au climat tempéré, la Norvège est généralement associée au froid, aux fjords, tandis que pour les Portugais, grands consommateurs de morue, elle est souvent assimilée à ce poisson.

B. Les préjugés

« Il est plus difficile d'éliminer un préjugé que de diviser un atome ! »

Albert Einstein

Étymologiquement, le terme préjugé dérive du latin *praejudicum*, qui signifie : jugement préalable, action de présumer. Le dictionnaire Larousse définit le préjugé comme étant « un jugement sur quelqu'un, quelque chose, qui est formé à l'avance selon certains critères personnels et qui oriente en bien ou en mal les dispositions d'esprit à l'égard de cette personne, de cette chose ». Dans le Petit Robert, un préjugé est défini comme « une croyance, une opinion préconçue souvent imposée par le milieu, l'époque, un parti pris ».

Dans le domaine des sciences sociales, le préjugé est défini comme un jugement ou un comportement adopté par un individu ou un groupe à l'égard de l'altérité, non fondé sur l'expérience vécue, mais basé sur une idée globale et considérée comme définitive : « Je n'aime pas les Français » ou encore « J'adore les Bretons » (http: / / www.prejuges-stereotypes.net / indexFlash.htm).

En général, les préjugés sont plutôt associés à une dévalorisation des exogroupes (le groupe auquel je n'appartiens pas) par rapport à l'endogroupe (le groupe auquel j'appartiens). Très souvent, les préjugés s'appuient sur des stéréotypes.

Voici quelques exemples :

Préjugé	Stéréotype
La côte bretonne est moche	parce qu'il pleut toujours.
Les Italiens sont malpolis,	ils parlent tous trop fort.
L'Espagne est un beau pays,	il y fait toujours beau.

Le projet pédagogique consiste à identifier dans nos relations avec les autres et notre vision du monde ce qui est du domaine de l'expérience et du vécu et ce qui est basé sur une vision héritée du groupe d'appartenance.

C. Dépasser les stéréotypes et les préjugés

Lorsqu'on vit dans un milieu international, on se rend rapidement compte que tout le monde a des préjugés sur tout le monde : les Français sur les Allemands et vice-versa, les Japonais, les Coréens, les Chinois, sur les autres asiatiques et vice-versa, les Africains de tel pays ou de telle ou telle ethnie sur les Africains de tel autre pays ou telle autre ethnie, etc. Il n'y a pas d'exception. Par ailleurs, il n'existe plus en soi aujourd'hui de groupe isolé dans les sociétés civilisées qui n'aurait aucun contact avec le reste du monde et ne serait pas lui-même composé d'apports successifs à la fois de population et de cultures. La mondialisation des échanges de marchandises et des déplacements, les évolutions démographiques et politiques ont favorisé les flux migratoires et donc les mélanges progressifs, les métissages.

Il y a donc simultanément une situation dans laquelle on peut constater la présence et la persistance de préjugés et de stéréotypes et, en même temps, une évolution des civilisations contemporaines vers un plus grand mélange des cultures. Chaque être humain est lui-même en général le produit de plusieurs cultures.

En Europe, la plupart des cultures éducatives sont centrées sur la reconnaissance de la diversité culturelle et la volonté de promouvoir la rencontre et la connaissance de plusieurs cultures.

Vouloir éliminer, éradiquer totalement stéréotypes et préjugés n'est pas une option pédagogique réaliste. Nous-mêmes enseignants, sommes soumis aux mêmes mécanismes de pensée que les autres membres de la communauté à laquelle nous appartenons. Nous jouons aussi un rôle important dans la transmission volontaire ou inconsciente des idées et valeurs collectives au groupe de référence, donc aussi des stéréotypes et préjugés. Le rôle de l'école en tant que lieu d'éducation et agent de socialisation devrait être d'aider apprenants et enseignants à apprendre à regarder la réalité en objectivant le plus possible le regard. Il s'agit de prendre conscience puis d'interroger et de relativiser les représentations stéréotypées et les préjugés afin de permettre d'aller à la rencontre de l'autre, de faire évoluer les comportements vers plus de compréhension, de curiosité et de volonté de partage. Il s'agit aussi de réfléchir à ses propres valeurs, ses propres convictions.

Une phase de diagnostic et de prise de conscience est fondamentale à l'enseignant et aux apprenants pour recenser les / leurs représentations et mesurer l'ouverture à l'autre.

Des expériences ambitieuses et parfois discutables ont été menées. À titre d'exemple, une expérience intitulée « La leçon de discrimination » a été réalisée au Canada et a été présentée en 2006 dans un documentaire produit par Radio Canada. Lors de cette expérience, une enseignante de l'école élémentaire avait séparé sa classe d'enfants en deux groupes selon le critère de la taille : le groupe des « petits » et celui des « grands ». Lors de la première étape de l'expérience, le groupe des « petits » était déclaré comme ayant toutes les qualités, alors que les « grands » étaient dépréciés. Lors de la deuxième étape de l'expérience, les rôles étaient inversés. L'objectif de cette activité était de faire ressentir la discrimination, l'injustice de la valorisation et du favoritisme d'un groupe par rapport à un autre.

Dans l'expérience canadienne présentée ci-dessus, c'est la qualité des discussions sur le vécu et la réflexion conduites *a posteriori* avec les formateurs des groupes qui a été mise en valeur par les initiateurs du projet. On peut cependant s'interroger sur la pertinence d'expériences aussi extrêmes et sur l'acceptabilité de placer les élèves en situation de cobayes, l'expérience vécue n'étant pas sans danger pour certains apprenants plus sensibles.

Diverses activités très simples peuvent être proposées dans le but de faire réfléchir les enseignants et les apprenants sur leurs représentations : faire dessiner et discuter sur les dessins pour les jeunes enfants, proposer des interviews ou questionnaires pour les adolescents ou les adultes, mettre en place des correspondances scolaires, créer des blogs en lien étroit avec d'autres écoles dans le même pays ou dans d'autres régions du monde.

En bref

→ **Les stéréotypes** sont une construction d'images à la fois erronées et partiellement justes. Même s'ils sont l'expression d'une catégorisation simplifiée et réductrice, ils donnent en même temps des informations sur la culture du groupe qui les énonce et sur la culture à propos de laquelle on les énonce. Ils peuvent être pris comme point de départ pour apprendre à observer de manière objective.

→ **Le préjugé** est une attitude, une idée personnelle, un jugement global sur un groupe externe sans que ce jugement ne soit corroboré par une expérience vécue. C'est une attitude très souvent négative qui peut favoriser la discrimination voire le racisme.

→ **Le projet pédagogique** consiste à faire prendre conscience des fonctionnements de la pensée qui conduisent à la construction des stéréotypes et des préjugés et à aider apprenants et enseignants à travailler sur un regard objectif. L'approche interculturelle proposera un itinéraire d'expériences et d'acquisition de savoirs qui ne condamne pas l'existence de préjugés ou de stéréotypes en soi, mais qui permet de les confronter à une réelle connaissance des groupes visés.

3 Le non verbal

« Nous parlons avec notre organe vocal, mais nous conversons avec tout notre corps. »

Minnie Louie Johnson Abercombrie

A. Définition

Ce qui pourrait paraître naturel est en fait fondamentalement culturel. Pour communiquer, le bébé ne maîtrisant pas encore les codes linguistiques a recours à la voix, l'intonation, l'amplitude des sons (il crie ou pleure par exemple) et bien entendu au non verbal : les regards, les gestes, les sourires, etc. Ces gestes et mimiques sont encouragés par l'entourage et se codifient peu à peu. La communication non verbale (les gestes, les regards, les expressions, le rapport au temps, à l'espace, etc.) a été longtemps négligée et même ignorée par la communauté scientifique. C'est dans les années 1970 qu'elle acquiert finalement une place importante dans le domaine de l'enseignement des langues, notamment suite aux recherches effectuées par les membres de l'École de la nouvelle communication, également appelée Collège invisible.

Dans les années 1950, des chercheurs issus de domaines divers comme la sociologie, la psychiatrie, l'anthropologie et la linguistique remettent en cause le modèle de communication élaboré par Shannon et Weave pour qui la communication se limitait à la transmission d'un message entre un émetteur et un récepteur et qui ne prenait pas en compte la contribution du non verbal. En réaction, Gregory Bateson, Edward T. Hall, Ray Birdwhistell, Erving Goffman, Scheflen et Paul Watzlawik entre autres, développent un modèle dit orchestral de la communication en établissant une analogie entre la communication et un orchestre en train de jouer une partition. La communication n'est plus restreinte à la transmission d'un simple message, mais comprise comme l'alliance d'individus qui communiquent par des messages linguistiques en y associant étroitement des éléments non verbaux, eux aussi constitutifs des messages échangés. Ainsi, pour ce Collège invisible, la communication est « un processus social permanent intégrant de multiples modes de comportement : la parole, le geste, le regard, la mimique, l'espace interindividuel, etc. » (Winkin, 1981, p. 24).

La communication passe donc par plusieurs canaux simultanément en intégrant le verbal et le non verbal. Dans cette optique, chaque individu participe à la communication selon ses codes culturels.

Dans la didactique des langues et des cultures, la communication non verbale est associée aux comportements kinésiques (les gestes, les mimiques, les postures, le regard, etc.) et aux comportements proxémiques (la perception de la distance et l'usage de l'espace, la notion de territoire, etc.). Ceux-ci varient d'une culture à l'autre et doivent donc être intégrés à l'enseignement d'une langue étrangère. À titre d'exemple, en France, dire « oui » par un hochement de tête vertical signifie dire « non » en Inde. Des manuels de français langue étrangère comme *C'est le printemps* (1972) ont fait évoluer les pratiques d'enseignement en mettant en avant ces éléments dans leur méthodologie. Il est maintenant admis que l'information verbale est accompagnée d'éléments signifiants non verbaux qui contribuent au message global. Bien communiquer dans une langue étrangère implique donc une maîtrise des savoirs linguistiques, mais aussi la prise en compte, la compréhension et l'acquisition des codes non verbaux. Tout enseignement d'une langue doit prendre en considération cette relation.

B. La kinésie

« Nul mortel ne peut garder un secret ; si les lèvres sont silencieuses, il bavarde du bout des doigts. »

Sigmund Freud

Le geste est déterminé par la culture d'appartenance, il est acquis culturellement, souvent de manière inconsciente, par mimétisme au groupe. Il est distinctif d'un groupe d'appartenance par rapport à un autre groupe.

Le terme de kinésie a été inventé en 1952 par Ray Birdwhistell qui définit une véritable grammaire des gestes dans laquelle il prend en compte le comportement kinésique dans son ensemble en y intégrant l'ensemble des mouvements corporels y compris l'expression faciale ou la posture, communément appelés gestes.

Pour illustrer ses théories, Ray Birdwhistell a présenté une scène devenue célèbre entre deux personnages : Doris et Gregory. C'est une scène interactionnelle de seulement 18 secondes à partir de laquelle il analyse les gestes et les expressions faciales des deux personnes. De cette analyse découle un constat : il y a une disparité entre les comportements kinésiques et le contenu verbal échangé. C'est ainsi qu'il démontre que le geste est un indicateur de sens en lui-même et qu'il est parfois transmis inconsciemment à l'interlocuteur : le corps et la parole ne transmettent pas forcément le même message.

Il faut distinguer deux grandes familles de gestes :

- *Les gestes favorisant la communication* : les gestes ouverts et extravertis permettant l'échange et la rencontre (en se référant au contexte français : ouvrir les bras, se pencher vers son interlocuteur, par exemple)
- *Les gestes bloquant la communication* : les gestes parasites qui peuvent brouiller le message, indiquer de l'agressivité ou de la peur et ériger une barrière entre les locuteurs (en France : croiser les bras, ne pas sourire, ne pas regarder l'interlocuteur, par exemple).

Un geste positif pour une culture peut être négatif pour une autre. Un même geste peut avoir une signification différente suivant la culture de référence, on appelle cela une « homonymie interculturelle » (Windmüller, 2011, p. 22). Par exemple, le croisement de doigts (index et majeur) pour souhaiter bonne chance en France est une insulte à caractère sexuel au Vietnam.

Dans l'enseignement d'une langue vivante, l'enseignant doit intégrer la maîtrise des codes gestuels afin que les apprenants aient conscience de l'importance des signes non verbaux dans la communication en langue cible.

En général, trois types de gestes cohabitent :

- *Les gestes discursifs* (liés au discours verbal produit) servent à structurer une conversation et relèvent de la rythmique du discours. Par exemple, marteler la table du tranchant de la main pour rythmer ses arguments ou dans une énumération, faire des gestes accompagnant les différents points de l'énumération : premièrement le pouce, deuxièmement le pouce et l'index et troisièmement le pouce, l'index et le majeur. Ces gestes sont également variables d'une culture à l'autre.
- *Les gestes illustratifs* qui ont un rôle sémantique. Ils permettent de donner du sens au verbal en l'illustrant par un geste. Ils accompagnent et viennent renforcer le contenu du discours par une analogie. Par exemple, le fait d'écarter les paumes des mains l'une de l'autre en parlant d'un objet de grande taille.
- *Les gestes emblématiques* qui sont souvent l'illustration gestuelle d'une expression idiomatique. Par exemple, l'expression idiomatique « mon œil » est accompagnée d'un geste par lequel l'index abaisse la paupière inférieure de l'œil. Certains gestes emblématiques sont utilisés universellement, mais la plupart sont propres à une culture.

Le silence, l'immobilité sont aussi des notions très culturelles : ils peuvent être perçus comme désagréables, susciter une gêne ou être ressentis comme négatifs ou même très gênants dans la culture occidentale ou au contraire apparaître comme agréables ou signes positifs ou valorisants dans d'autres cultures.

C. La proxémie

« L'espace parle. »

Edward T. Hall

Chaque culture a une façon propre de s'approprier l'espace qui l'entoure. L'étude de la perception et de l'usage de l'espace par l'homme fait l'objet d'une science appelée proxémie.

L'anthropologue américain Edward T. Hall s'est penché sur les questions de proxémie liées à la communication interculturelle. Il a étudié notamment la notion de distance entre les individus dans des situations de communication.

Tout comme les animaux, l'être humain conditionne son comportement en fonction de la distance à laquelle se trouve son interlocuteur.

Chaque culture a sa propre organisation de l'espace. Ayant comme référent la culture américaine, Hall répertoria quatre types de distances interpersonnelles :

- **La distance intime :** c'est la distance du « corps à corps », la distance à laquelle regarder quelqu'un fait loucher, l'haleine est perceptible et la présence devient parfois envahissante. Par exemple, à l'heure de pointe dans le métro, la distance intime imposée par la circonstance peut être perçue comme très pénible. Si elle est souhaitée, cette proximité est, à l'inverse, vécue comme agréable, confortable, rassurante ou stimulante.

- **La distance personnelle :** elle marque la limite de l'emprise physique sur autrui. C'est au-delà de cette distance qu'il devient difficile de toucher quelqu'un. La voix est normale et n'est plus chuchotée.

- **La distance sociale :** c'est la distance habituelle dans les relations professionnelles. Cette distance donne un caractère formel à l'échange. Elle est souvent délimitée par un bureau, une table ou un guichet. Cette distance va s'accroître en fonction de la position hiérarchique.

- **La distance publique :** dans cette distance, la communication interpersonnelle s'appauvrit, car le discours est dirigé vers un auditoire et limite au maximum l'interaction avec les individus qui constituent le groupe (par exemple : les cours magistraux, les conférences, les pièces de théâtre). L'interlocuteur prend le rôle de récepteur.

Ces quatre distances sont des territoires différents culturellement variables. Ainsi, une distance personnelle pour une culture peut être ressentie comme une distance intime pour une autre. La distance entre les individus dans les diverses situations de communication est un vécu qui semble en apparence partagé par tous, mais qui ne l'est que dans la mesure d'un regard ethnocentriste. C'est un élément fondamental propre à chaque culture.

D. Réflexions sur la proxémie et la kinésie dans le contexte de l'enseignement

L'étude de la kinésie et proxémie dans l'enseignement d'une langue-culture permet de conduire les apprenants à relativiser leur regard et à s'interroger sur ce qui peut paraître naturel ou non à première vue.

La réflexion sur ce sujet devrait aussi montrer comment la gestion de l'espace et l'organisation des tables et des chaises jouent également un rôle évident parmi les facteurs facilitant ou rendant difficile la communication entre apprenants et enseignant(e) et entre les apprenants eux-mêmes dans la vie quotidienne d'une classe.

Notre conception actuelle de l'enseignement en Europe est centrée sur l'interaction entre apprenants et enseignants et apprenants entre eux. Elle s'efforce de responsabiliser l'apprenant dans son parcours d'apprentissage. Cette orientation pédagogique est souvent en décalage face aux habitudes d'apprentissage des apprenants, face à leur culture éducative d'origine. Cette pensée, même en Europe, n'est pas traduite en permanence dans les faits. Ainsi, l'enseignement universitaire ou même scolaire donne-t-il à l'enseignant un rôle de transmetteur de savoir davantage que celui d'organisateur de l'apprentissage.

Une simple observation de l'organisation de l'espace classe suffit souvent à déterminer le type d'enseignement dispensé. Lorsque les tables sont placées en rangs et les apprenants les uns derrière les autres, il est difficile de s'interpeller. Cette organisation tend à indiquer que l'on écoute le maître qui dispense le savoir sans échange ou que les questions posées par les apprenants ne sont considérées que comme des demandes de précision pour ce que l'on n'a pas compris et non comme une marque d'intérêt pour le sujet traité.

En cours de langue, la pratique de la langue est indispensable pour progresser, mais comment parler à quelqu'un qui se trouve trois rangs derrière sans le voir, sans le regarder ?

On privilégiera donc l'organisation de l'espace en tables de petits groupes, les classes en U ou la disposition en cercle sans tables. Le contact visuel entre les membres du groupe et les déplacements dans la classe facilitent les échanges. On favorisera donc également tout ce qui conduit les apprenants à se déplacer dans la salle et à changer de place : jeux de rôles, enquêtes, affichage de documents, déplacements au tableau à plusieurs, etc. Les activités qui incitent à bouger, se déplacer, travailler avec différents partenaires, diversifient les contacts et impliquent davantage au quotidien les apprenants dans leur apprentissage.

L'enseignant(e) lui aussi a intérêt à se déplacer dans la classe et surtout à ne pas stationner exclusivement près du tableau. Restant toujours à la même place, il / elle est en permanence à la même distance des mêmes élèves. Ainsi s'instaure une discrimination *a priori* involontaire entre les apprenants proches et les apprenants éloignés. Par contre, si l'enseignant(e) se déplace fréquemment, tous les apprenants sont à proximité de lui à tour de rôle. L'enseignant(e) est proche, la communication plus dynamique.

En bref

→ **La communication non verbale** est un mode de communication parfois inconscient, mais fondamentalement culturel et intrinsèquement lié à la communication verbale. La prise de conscience et la connaissance des codes de communication non verbale dans sa propre culture puis dans d'autres cultures constituent des éléments constitutifs pertinents dans une approche interculturelle. Ils permettent de comprendre que des comportements *a priori* naturels sont en fait des acquisitions culturelles d'un groupe et doivent être intégrés dans le projet d'apprentissage d'une langue.

→ **La prise de conscience de l'importance du non verbal** dans la communication doit conduire à une évolution des pratiques pédagogiques quotidiennes et de la gestion de l'espace classe : si les apprenants et enseignants peuvent se voir, bouger, se déplacer dans la classe, cela favorisera directement les interactions et la communication dans le groupe.

Fiche 13

A1 et +

45 min.

Rencontres express

Le *speed-dating* qui signifie en français à peu près « rencontres rapides » est une méthode de rencontres en temps limité et en série qui sont souvent organisées dans des endroits publics : bars, restaurants, etc.

Objectifs

- Aller à la rencontre de l'autre.
- Travailler les regards croisés.
- Prendre conscience des groupes d'appartenance.

Matériel

Collecter une série de photos ou d'images de personnages, d'animaux et d'objets du quotidien, par exemple : la photo d'un chien, d'une voiture, etc.

Étape 1

- Consigne : *À deux, en cinq minutes, trouvez dix questions pour faire la connaissance de quelqu'un. Par exemple : « Où êtes-vous né(e) ? »*
- Mise en commun. Chaque membre du groupe propose à tour de rôle une question.

– *Quelles questions ne peut-on pas poser lors d'une première rencontre ?*

- À partir de A2. Consigne : *Connaissez-vous le principe du* speed-dating *?*

– *Quels sont les objectifs ? Quelle est d'après vous la bonne stratégie pour faire connaissance ?*

Étape 2

- Consigne : *À deux, trouvez six questions essentielles pour faire connaissance dans une rencontre express.*
- Mise en commun. Noter les questions au tableau.
- A1. L'enseignant(e) distribue des images ou des photos aux participants.

Consigne : *À deux, trouvez des questions à poser à partir des images pour faire connaissance. Par exemple, l'image d'un chien peut correspondre aux questions suivantes : « Est-ce que tu as un chien ? » « Est-ce que tu aimes les chiens ? » « Est-ce que ton chien est gentil ? » Etc.*

- Mise en commun. Les participants annoncent les questions trouvées.

– Par deux. Les apprenants se posent mutuellement des questions. Ils ont trois minutes pour échanger des informations, puis ils changent de partenaire.

- Consigne : *Vous avez trois minutes pour obtenir le maximum d'informations sur votre partenaire. Dans trois minutes, on change de partenaire.*

– Après quelques échanges, l'enseignant(e) arrête le jeu. Il tire au sort le prénom d'un apprenant.

- Consigne : *Qui a rencontré (par exemple, Sylvia) ?*

Les participants lèvent la main.

Donnez à tour de rôle des informations sur (Sylvia).

Tous les apprenants seront ainsi présentés.

Pour aller plus loin

À partir des images sélectionnées, l'enseignant(e) pose des questions qui permettent de mettre en évidence des affinités dans le groupe classe. Par exemple « Qui aime les chiens ? » Les personnes concernées lèvent la main.
Puis l'enseignant(e) propose à un apprenant de poser une question à son tour sur le même modèle.
Cette activité peut être très utile pour les premières heures avec un nouveau groupe.

Fiche 14

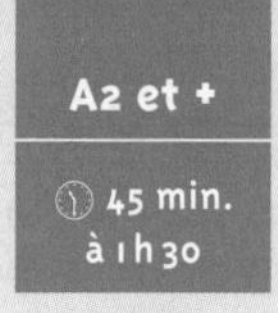

L'art de la séduction

Objectifs

- Prendre conscience de la différence des codes culturels de séduction.
- Se décentrer.
- Relativiser sa propre culture.

Matériel

Court métrage *Le grand jeu* d'Y. Pecherand-Molliex, accessible sur le site www.6nema.com.

Étape 1

- Consigne : *À trois, faites le portrait d'une personne séduisante.*
- Mise en commun. Chaque groupe présente ses résultats.

Question : *Quels sont les points communs entre les personnes décrites ? Est-ce qu'il y a de grosses différences entre les portraits présentés ? Si oui, lesquelles ?*

- Consigne : *Que faut-il faire pour séduire un homme ou une femme dans votre pays ?*
- Mise en commun. Discussion en grand groupe.

Étape 2

Variante un

En face à face pédagogique, faire visionner le film *Le grand jeu* et faire faire les activités.

Variante deux

En centre de ressources. Le mieux est de télécharger le film à l'avance pour éviter les problèmes de dernière minute liés aux connexions Internet.

- Consigne : *Allez sur le site* http://www.6nema.com *et tapez « le grand jeu » dans l'onglet de recherche. Visionnez le court-métrage jusqu'au moment où la jeune femme entre dans le train et trouve le bagage sur le siège et listez les petits gestes effectués pour séduire la jeune femme.*
- Mise en commun. Les participants proposent à tour de rôle une réponse pour aboutir à une liste aussi complète que possible.
- Consigne : *À deux, imaginez la fin du film.*
- Mise en commun. Chaque groupe présente sa fin puis on visionne le film.
- Consigne : *Regardez la fin du court-métrage.*

Que pensez-vous de l'attitude de l'homme ? Pourquoi, à votre avis, a-t-il quitté la jeune fille ?

Pour aller plus loin

- Consigne : *À trois, trouvez douze conseils pour séduire une femme ou un homme.*
- Mise en commun. Chaque groupe propose à tour de rôle un conseil. On passe de groupe en groupe jusqu'à épuisement des idées.
- Consigne : *Expliquez aux autres participants les règles de votre pays :*

– Les personnes se marient-elles par amour ou est-ce le choix des parents ?

– Dans les relations amoureuses, les femmes font-elles souvent le premier pas ou est-ce toujours l'homme ?
– La vie ensemble avant le mariage est-elle possible ?
– Le mariage est-il toujours à la mode ?
– L'infidélité est-elle un crime ? Est-ce considéré de la même manière pour les hommes et pour les femmes ?

■ À partir de B2. Consigne : Allez sur le site http://www.petites-annonces-amoureuses.fr. *Consultez les petites annonces littéraires amoureuses et écrivez à votre tour une petite annonce originale du style : « Bonne poire cherche pomme à croquer, joues rouges appréciées, remarques acides ou fondantes bienvenues. »*

Fiche 15

Tous niveaux

45 min.

Les objets

Objectifs

- Apprendre à connaître l'autre à partir de son environnement.
- Prendre conscience des regards croisés.
- Se rendre compte des différentes facettes d'une identité.

Étape 1

- Consigne : *Faites la liste de vos cinq objets préférés.*
- Mise en commun. Chaque participant cite un objet.

Étape 2

- Consigne : *Sur une feuille, dessinez cinq objets ou écrivez le nom de cinq objets qui vous caractérisent.*

L'enseignant(e) collecte les feuilles et les redistribue au hasard.

- Consigne : *Présentez le participant avec le dessin ou la liste sur la feuille. Par exemple : « X aime lire. Il fait du sport. Etc. »*

La personne présentée explique si elle est d'accord ou non avec la présentation.

- Variante : l'enseignant(e) peut demander à ses apprenants d'apporter des objets ou des photos de ces objets qui remplaceront les fiches.

Pour aller plus loin

- A1-A2. Consigne : *À deux, en deux minutes, quels mots associez-vous au mot « voiture » ?*

On note au tableau les mots cités, par exemple : « pétrole », « environnement », « Ferrari », « indépendance », « voyage », etc.

- Consigne : *Individuellement, complétez la phrase : « Pour moi, une voiture, c'est… ». Par exemple : « Pour moi, une voiture c'est beau. »*
- Mise en commun. Les participants lisent leur phrase.
- À partir de B1. Consigne : *Comparez les différences et les similitudes d'association de représentations. Pourquoi existe-t-il de telles différences ?*
- Variante : L'enseignant(e) propose aux apprenants de choisir à tour de rôle un objet au hasard. Les autres participants doivent dire sans attendre à quoi cet objet leur fait penser.
- À partir de B1. Consigne : *Dans la liste des objets suivants, quels sont les objets qui sont plutôt utiles ou plutôt des outils de distinction sociale ?*

☐ le téléphone portable ☐ la tenue vestimentaire ☐ la montre ☐ la voiture
☐ la maison ☐ le stylo ☐ le sac à main

- Production écrite. Consigne : *Racontez l'histoire de votre objet préféré en 10 lignes.*

Nota : Moduler le nombre de lignes en fonction du niveau des participants.

Fiche 16

B1 et +

45 min. à 1 h 30

Préjugés et discriminations

Objectifs

- Définir une discrimination.
- Établir la relation entre les préjugés et les discriminations.
- Connaître une institution qui lutte contre les discriminations.

Étape 1

- Consigne : *À deux, donnez une définition du mot « Discrimination » et illustrez vos propos d'exemples précis.*
- Mise en commun. Chaque tandem lit sa définition.

Étape 2

- Consigne : *En petits groupes, faites une liste de préjugés qui peuvent être à l'origine des discriminations définies dans la mise en route.*
- Mise en commun. Chaque groupe propose un préjugé puis discussion collective.
- Question : *Connaissez-vous des personnes ayant fait l'objet de discriminations ? Dans quelles circonstances ? Cela vous a-t-il choqué ou affecté ? Pourquoi ?*
- Échanges dans le groupe classe.
- Consigne : *À deux, connectez-vous sur le site* halde.defenseurdesdroits.fr *et répondez aux questions suivantes :*

1. Que signifie la HALDE ? Quelles sont ses missions principales et ses valeurs défendues ?
2. Regardez une (ou deux) vidéo(s) proposée(s) dans la rubrique Médiathèque.
A. Racontez brièvement à la classe ce que vous avez vu.
B. Quels préjugés peuvent être à l'origine de ce qui est dénoncé dans la (ou les) vidéo(s) présentée(s) ?
C. Donnez votre avis sur les initiatives de la HALDE.

Pour aller plus loin

- Consigne : *Y a-t-il des préjugés que vous avez abandonnés grâce à votre expérience personnelle ?*
– Que pourriez-vous préconiser contre les préjugés et/ou les discriminations ? Expliquez pourquoi vos propositions vous paraissent fondamentales.
- Discussions en petits groupes, puis échanges avec le groupe classe.
- Question : *Y a-t-il dans votre pays des organismes actifs qui dénoncent ou luttent contre les discriminations ? Si oui, faites les recherches d'informations nécessaires puis présentez un de ces organismes à la classe.*

Fiche 17

B2 et +

45 min. à 1 h 30

Un dossier presque parfait...

Objectifs

- Lutter contre les discriminations.
- Relativiser les stéréotypes.
- Se décentrer.

Matériel

Court métrage : *Un excellent dossier!* d'Artus de Penguern, accessible sur www.youtube.com

Étape 1

- Consigne : *À deux, dans votre pays, quels sont les documents à fournir pour louer un appartement ?*
- Mise en commun. Un premier groupe propose ses résultats. Ils seront complétés et discutés par l'ensemble des groupes.

Étape 2

- Consigne : *À deux, en cinq minutes, faites la liste des cinq critères les plus importants pour réussir à louer un appartement. Par exemple, en France, il faut être solvable ; il est préférable de ne pas avoir d'animaux domestiques...*

L'activité suivante peut se faire en face à face pédagogique en classe ou dans un centre de ressources.

Aller sur le site www.youtube.com et taper « un excellent dossier Artus de Penguern » dans l'onglet de recherche. Diffuser successivement les séquences du court-métrage indiquées ci-dessous, suivies des séries de questions qui correspondent à ces séquences.

Séquence n° 1. De 00:00 à 02:01, jusqu'au coup de sonnette annonçant l'arrivée de la première locataire.

– Quels sont les documents présentés par l'agent immobilier au couple qui propose la location (justificatif d'inscription, caution parentale, lettre de recommandation, photocopies des feuilles d'impôts et des pièces d'identité) ?
– Caractérisez le couple (cinquantenaires, bourgeois, sympathiques, blagueurs, etc.).
– Décrivez l'ambiance (détendue, conviviale, amusante, etc.).
– Selon vous, que veut dire la femme lorsqu'elle demande à l'agent immobilier : « Ils vous ont fait bonne impression » (ils sont recommandables, parfaits pour l'appartement, etc.) ?

Séquence n° 2. De 02:02 à 03:03 : jusqu'au deuxième coup de sonnette.
– Quelle image se fait le couple Marziani de Cécile Morin (image très positive, étudiante sérieuse en langues orientales, travailleuse, etc.) ?
– Comment interprétez-vous le geste de M. Marziani associé à l'expression « ça va vous être très utile dans le futur parce que les Chinois… » (Chinois = envahisseurs) ?

Séquence n° 3. De 03:04 à 05:03 : jusqu'à la dernière image de la fête dans l'appartement.
– Quelle est la réaction du couple à l'arrivée des deux autres étudiants (la surprise, la gêne, etc.) ?
– Quelle image se fait Mme Marziani d'Adèle Sainte-Rose (vie sexuelle très active, femme africaine enceinte, famille nombreuse, consommation de cannabis, etc.) ?
– Décrivez la réaction de M. Marziani lorsqu'il voit la main de Fatma au cou de Lilian Magny (les yeux grands ouverts, l'étonnement, etc.).
– Quelle image se fait M. Marziani de Lilian Magny (musulman en prière, attentats du World trade center du 11 septembre 2001, guerre nucléaire, terrorisme, attentat sur la Tour Eiffel) ?
– Comment le couple s'imagine leurs amis (fêtards, bruyants, etc.) ?

Séquence n° 4. De 5:04 jusqu'à la fin du court-métrage.
– Quelle est la décision du couple ? Comment comprenez-vous cette décision et leur justification (ils vont réfléchir, mais on comprend qu'ils ne veulent pas leur louer l'appartement. Ils donnent une fausse excuse) ?
– Quelle est la réaction des étudiants et de l'agent immobilier (la surprise, l'étonnement, le malaise, l'incompréhension, etc.) ?
– À qui a été finalement loué l'appartement (une famille française modèle, la famille Dumesnil, etc.) ?
– Quelle est la morale de cette histoire selon vous ?

▪ Mise en commun. Après chaque extrait, les participants discutent en petits groupes, puis mise en commun. Pour une séquence de cours de 45 minutes, on travaillera sur une séquence du film, puis on passera directement au visionnage complet.

Pour aller plus loin

▪ Consigne : *En petits groupes, en vous inspirant du court-métrage que vous avez visionné dans le cours, imaginez le scénario d'un nouveau court-métrage dont le thème sera : la discrimination. Filmez-le ensuite avec une caméra de poche ou un téléphone portable.*

Fiche 18

A2 et +

45 min.

La carte des stéréotypes

Objectifs

- Identifier des stéréotypes associés à un pays.
- Prendre conscience du caractère réducteur, simplificateur et ethnocentrique des stéréotypes.
- Se décentrer.

Étape 1

- Consigne : *À trois, échangez sur les images que vous associez généralement à votre pays ou vos pays respectifs.*
- Mise en commun. Chaque groupe présente à tour de rôle le résumé des discussions à la classe.

Étape 2

Faire la liste des pays de la classe, pays des participants ou des parents proches des participants. Apporter ou projeter une mappemonde.

- Consigne : *Situez votre pays sur la mappemonde.*

Le participant se lève pour situer son pays sur la carte.

- Consigne aux autres participants : *Posez des questions sur ce pays.*

Le participant du pays concerné répond à quelques questions puis on change de pays.

- Consigne : *À deux, recherchez sur un des pays cités dix informations concrètes (par exemple, la population, le nom de la capitale, etc.) et présentez ces informations à la prochaine séance.*

Pour aller plus loin

- Consigne : *Faites la liste des idées reçues ou stéréotypes que vous connaissez sur plusieurs pays. Par exemple, « On dit que les Allemands sont ponctuels » ; « On dit que les Indiens mangent épicé. »*
- Mise en commun. Chaque groupe présente une idée reçue à la classe. Puis discussion en grand groupe sur les idées proposées.
- Consigne : *Avez-vous visité ces pays ? À quelle occasion ? Racontez votre expérience dans le pays visité.*
- Consigne : *Allez sur le site canadien du Centre d'Apprentissage Interculturel :* http://www.intercultures.ca/cil-cai/countryinsights-apercuspays-fra.asp. *Sélectionnez un pays, cliquez sur stéréotypes et comparez votre point de vue sur ce pays avec les points de vue canadien et local.*

Pour les apprenants qui suivent également des cours d'anglais, il est possible de travailler en collaboration avec leur enseignant dans une perspective transdisciplinaire.

- Consigne : *Allez sur le site* http://alphadesigner.com/project-mapping-stereotypes.html *et consultez les cartes de l'artiste Yanko Tsvetkov.*

– Que pensez-vous des différents stéréotypes associés aux pays ? Sont-ils les mêmes que les vôtres ? Oui, non, pourquoi ?

Fiche 19

Stéréotypes

B1 et +

45 min. à 1 h 30

Objectifs

- Identifier les autostéréotypes et les hétérostéréotypes.
- Prendre conscience du caractère réducteur et simplificateur des stéréotypes.
- Prendre conscience de la relation entre les stéréotypes et l'identité.

Matériel

Court-métrage *Clichés français* de Cédric Villain, accessible sur www.youtube.com.

Étape 1

- Consigne : *Individuellement, choisissez dix mots pour parler de votre pays. Comparez votre liste avec une personne originaire du même pays. Avez-vous choisi les mêmes mots ? Comparez ensuite votre liste avec la liste associée à un autre pays. Y a-t-il des mots communs ?*

Étape 2

- Consigne : *À trois, échangez vos connaissances et complétez le tableau ci-dessous.*

La France et les Français	
Des personnages célèbres	
Des monuments connus	
L'alimentation	
Des habitudes et comportements	
La France dans le monde	
Des mots français dans les langues étrangères	

- Mise en commun. De groupe en groupe, les apprenants citent des informations qu'ils ont intégrées au tableau.

■ Consigne : *Allez sur* www.youtube.com *et tapez « clichés français » dans le moteur de recherche. Choisissez la vidéo intitulée* Clichés ! Version française, *regardez-la, puis complétez le tableau avec d'autres informations.*
– La vidéo Clichés ! Version française *est-elle selon vous représentative de la France et des Français, ou bien s'agit-il uniquement de stéréotypes ? Pourquoi ?*

Pour aller plus loin

■ Consigne : *De la même manière qu'il existe de nombreux clichés sur les Français, faites la liste des stéréotypes qui sont habituellement énoncés sur votre pays d'origine.*
Selon vous, jusqu'à quel point ces stéréotypes correspondent-ils partiellement à la réalité ?
■ Consigne : *À trois, donnez une définition du mot stéréotype. Illustrez votre définition par des exemples concrets. Comparez votre définition à celle d'un dictionnaire.*

B1 et +

45 min. à plusieurs heures

Fiche 20

Comme un…

Objectifs

- Identifier des stéréotypes.
- Montrer la relation entre stéréotype, nationalité et identité.
- Prendre conscience de la relation affective avec des objets ou lieux identitaires.

Matériel

Chanson de Thomas Dutronc *Comme un manouche sans guitare* accessible sur www.youtube.com. Il est préférable de télécharger à l'avance le document pour éviter les problèmes de connexion Internet au moment du cours.

Étape 1

- Consigne : *À deux, complétez les vers suivants en associant un objet ou un élément culturel qui représentent chaque nationalité :*

Exemple :

« Comme un Américain sans hamburger »

Comme un Chinois sans ....

Comme un Australien sans ....

Comme un Russe sans ....

Comme un Italien sans ....

Comme un Anglais sans ....

Comme un Afghan sans ....

Comme un Japonais sans ....

Comme un Portugais sans ....

Comme un Néo-zélandais sans ....

Je suis un peu perdu sans ....

- Mise en commun. Lecture à haute voix en alternant le lecteur pour chaque vers.
- Consigne : *Quels objets associe-t-on aux nationalités citées dans l'exercice précédent ? Qu'en pensez-vous ?*

Étape 2

- Consigne : *Allez sur* www.youtube.com *et tapez dans l'onglet de recherche « Thomas Dutronc Comme un manouche sans guitare ».*

Trouvez également le texte de la chanson. Puis écoutez-la.

À deux, identifiez dans les textes les objets associés à des lieux ou des personnages.

Exemple : « Un manouche / une guitare » ; « un château / la Loire. » ; etc.

- Mise en commun. À tour de rôle, chaque groupe annonce un résultat trouvé.

Pour aller plus loin

■ Consigne : *Faites la liste des objets ou des lieux qui caractérisent selon vous la culture du pays d'où vous venez ou dans lequel vous vivez.*
Présentez ces objets ou ces lieux avec des photos ou des dessins aux autres participants en expliquant pourquoi ils sont importants à vos yeux.

À l'étape suivante, on proposera aux participants de créer le **catalogue « Objets et lieux »** de la classe. Nous allons créer un catalogue des objets ou des lieux qui jouent un rôle important dans les pays d'origine des participants parce qu'ils sont représentatifs de la société ou parce que les habitants y sont très attachés, par exemple pour les Français : le couteau de poche Opinel, le fromage La Vache qui rit ou encore, le paquet de cigarettes Gauloises, etc.
Le catalogue sera réalisé comme celui d'un musée.
Les objets ou les lieux y seront représentés avec une photo ou un dessin légendé avec des *informations objectives*.
Pour les objets : la taille, les matériaux utilisés pour la fabrication, lieu où on le trouve, l'usage habituel.
Pour les lieux : l'endroit où ils se trouvent, qui s'y rend habituellement, ce que l'on y fait.
Par ailleurs, les participants écrivent aussi *un texte subjectif* sur la relation qu'ils ont personnellement avec l'objet ou le lieu. Ils expliquent pourquoi cet objet ou ce lieu sont importants à leurs yeux.

Fiche 21

A2-B1

45 min. à plusieurs heures

Votre ville

Objectifs

- Identifier des stéréotypes associés à une ville.
- Prendre conscience du caractère réducteur et simplificateur des stéréotypes.
- Identifier des représentations associées à sa ville.
- Présenter sa ville.

Matériel

Affiche publicitaire qui présente une ville. Ici, nous avons choisi une affiche sur Vichy téléchargeable sur le site des PUG (www.pug.fr).

Étape 1

- Consigne : *Écrivez ou dessinez sur une fiche ce à quoi vous fait penser le mot « VICHY ».*

L'enseignant collecte les fiches et les redistribue au hasard.
Chaque participant présente au groupe classe ce qu'il voit sur sa feuille.

Nota : Certaines villes peuvent être riches en associations comme Paris ou Marseille par exemple. On peut aussi choisir les villes dont sont originaires les participants.

Étape 2

Présentation de l'affiche de la ville choisie (ici, Vichy).

- Consigne : *À deux, observez l'affiche publicitaire de la ville de Vichy (consultable sur le site des PUG :* www.pug.fr*) et décrivez-la.*
- Mise en commun. Un premier groupe propose sa description. Les autres groupes compléteront cette description pour être le plus exhaustif possible.

– Est-elle représentative de la ville de Vichy ? En quoi ? Pour vérifier, vous pouvez chercher des informations sur la ville (histoire, bâtiments, informations générales sur http://www.ville-vichy.fr/ *ou sur Wikipédia).*

- Mise en commun. Discussion en grand groupe animée par le professeur.
- Consigne : *Faites une liste de ce qui caractérise le plus la ville dont vous êtes originaire.*
- Mise en commun. Présentation de quelques villes par les participants. S'il y a plusieurs personnes originaires d'une même ville, chaque participant propose trois éléments (lieux, bâtiments, habitudes, etc.) caractéristiques de la ville.
- Consigne : *Par trois ou quatre, réalisez une affiche pour présenter la ville de votre choix, votre ville d'origine ou celle d'un autre participant. N'oubliez pas de choisir un slogan.*

– Présentez votre affiche à la classe et expliquez pourquoi vous avez choisi de présenter tel ou tel élément dans l'affiche.

Pour aller plus loin

■ Consigne : *À deux, allez sur le site* http://www.tf1.fr/ *Dans la zone de recherche, tapez « zoom sur Vichy ». Visionnez la vidéo et notez au moins dix informations sur la ville.*
Les participants présentent les résultats de leur travail lors de la prochaine séance.
■ Consigne : *Réalisez avec la classe une vidéo pour présenter votre ville.*
Poster les productions sur un site de partage comme YouTube par exemple.

Fiche 22

À la manière de...

B1-C1

1 h 30

Objectifs

- Identifier et reconnaître des stéréotypes et des préjugés.
- Prendre conscience de l'ethnocentrisme.
- Apprendre à se décentrer.
- Lutter contre le racisme.

Étape 1

- Consigne : *À trois, connaissez-vous une personne d'origine étrangère qui habite près de chez vous (un voisin, un ami, etc.) ?*
Dites d'où il/elle vient, ce qu'il/elle fait, si vous avez ou non des contacts avec lui/elle.
- Mise en commun. Les participants doivent présenter ce qu'un autre participant leur a raconté.

Étape 2

- Consigne : *À deux, complétez à l'aide d'adjectifs ces deux parties du poème de Léopold Sédar Senghor*

Poème à mon frère blanc.
Cher frère blanc
Quand je suis né, j'étais noir,
Quand j'ai grandi, j'étais ....,
Quand je suis au soleil, je suis ....,
Quand je suis malade, je suis ....,
Quand je mourrai, je serai ....

Tandis que toi, homme blanc,
Quand tu es né, tu étais ....,
Quand tu as grandi, tu étais ....,
Quand tu vas au soleil, tu es ....,
Quand tu as froid, tu es..................................,
Quand tu as peur, tu es..................................,
Quand tu es malade, tu es ....,
Quand tu mourras, tu seras............................ .

Alors de nous deux,
Qui est .... ?

- Mise en commun. Lecture à haute voix en alternant le lecteur à chaque vers.

■ Lister au tableau les adjectifs qui caractérisent d'une part le « frère noir » et « le frère blanc ».
– Distribuer le poème original (très facile à trouver sur Internet).
Questions : *Quelle est la particularité des adjectifs proposés par l'auteur ? Quel est, selon vous, le message de Léopold Sédar Senghor ?*
■ Mise en commun. Travail individuel ou à deux, puis comparaison des idées en grand groupe.

Pour aller plus loin

■ Consigne : *Vous avez vu un reportage sur l'Afrique à la télévision (cf. TV5 Monde Informations / Le JT Afrique) et vous écrivez à un des personnages vus dans le reportage en commençant par : « Je vous ai vu à la télévision et je voudrais vous dire... »*
Mettez en rapport l'image que vous avez de la vie dans le pays du personnage avec ce que vous avez vu. (250 mots)

Fiche 23

B1 et +

45 min. à 1 h 30

L'équipe interculturelle

Objectifs

- Prendre conscience de la richesse et des difficultés de la diversité des cultures de travail.
- Prendre conscience que le point de vue peut être changé en modifiant des paramètres.
- Être attentif à la culture de l'autre.

Étape 1

- Consigne : *Formez des groupes de quatre. Vous êtes responsables du recrutement dans une grande entreprise internationale et vous devez recruter plusieurs nouveaux collaborateurs dans différents services :*
– un agent de gardiennage ;
– un/une secrétaire ;
– un chef de production ;
– un/une responsable de communication.
Quels vont être vos critères de recrutement pour chaque poste ? Pourquoi ?
- Mise en commun. Discussion des critères proposés.

Étape 2

- Consigne : *En groupes de trois, définissez une charte de dix règles d'or pour faciliter et rendre plus efficace le travail dans une équipe dans laquelle des personnes de plusieurs nationalités travaillent ensemble.*
- Mise en commun et discussion. Un groupe propose sa liste, puis celle-ci sera complétée par les autres groupes. Enfin, on décide en commun quelles seront les dix règles finalement retenues.

Pour aller plus loin

- Discussion
– En quoi le travail en commun entre personnes de différentes nationalités peut-il être enrichissant, complexe, difficile, parfois impossible ?
– Une bonne entente dans une équipe signifie-t-il qu'il n'y a jamais de conflits entre ses membres ?
– À votre avis, ces difficultés ou cette richesse pour travailler ensemble sont-elles les mêmes pour des personnes de même nationalité, mais issues de milieux sociaux, d'origines géographiques ou d'univers religieux différents ?
- Étude de cas
Vous arrivez comme chef dans une nouvelle entreprise dans un autre pays que le vôtre.
Comment allez-vous vous préparer pour cette nouvelle mission ?
Quelles vont être vos premières actions lors de votre arrivée ?
- Discussions en petits groupes puis mise en commun des idées dans le groupe classe.

Fiche 24

A2 et +

45 min. à plusieurs heures

Candidature

Objectifs

- Apprendre à se décentrer.
- Comprendre les codes culturels professionnels.
- Rédiger un CV européen.

Étape 1

- Consigne : *En petits groupes, dites quels sont les éléments qui figurent sur un curriculum vitae ? Dans quel ordre d'importance sont-ils présentés ?*
- Mise en commun. Il est possible aussi de proposer un exemple de curriculum vitae pour alimenter la discussion et permettre des comparaisons avec les connaissances des participants.

Étape 2

- Consigne : *En petits groupes, expliquez comment se déroule un entretien d'embauche dans votre pays. Par exemple, on échange les cartes de visite au début de l'entretien. Le candidat doit regarder la / les personnes qui posent les questions ou, au contraire, baisser les yeux, etc.*
- Discussion en petits groupes, puis mise en commun des idées échangées avec le groupe classe.
- Consigne : *À deux, trouvez dix conseils à donner pour bien réussir un entretien d'embauche dans votre pays par rapport à :*

– l'heure d'arrivée ;
– la tenue vestimentaire ;
– la façon de saluer ;
– la posture à adopter, les gestes ;
– le regard ;
– la distance entre vous et votre interlocuteur ;
– le temps de parole ;
– la présentation personnelle ;
– la présentation professionnelle ;
– l'attitude à adopter après l'entretien.

- Mise en commun. Soit un tour de table par rapport à chaque thème abordé, soit la création d'un guide d'entretien à l'écrit qui sera corrigé par le professeur.

Pour aller plus loin

- Consigne : *Vous souhaitez travailler en France cet été, rédigez votre curriculum vitae réel ou imaginaire en vous aidant du site* http://europass.cedefop.europa.eu/.

– Sélectionnez la version française et cliquez sur « Créer votre CV en ligne ».
– Créez votre CV en ligne.

Les participants impriment leur curriculum. Ils discutent en petits groupes pour améliorer les CV des uns et des autres.

L'enseignant(e) passe de groupe en groupe pour aider les participants.

- Discussion en commun sur les recommandations à donner pour réussir un bon curriculum vitae et un entretien d'embauche.

Fiche 25

A2 et +

45 min.

Les gestes

Objectifs

- Se rendre compte que la communication non verbale est un élément constitutif de la communication.
- Montrer l'importance de la composante culturelle dans les gestes.
- Prendre conscience que les gestes peuvent conduire à des malentendus interculturels.

Matériel

- Vidéos et images disponibles sur le site des PUG (www.pug.fr).
- Il est possible de télécharger les images et de les projeter ou de les copier sur des feuilles qui seront présentées aux participants.

Étape 1

- Consigne : *En petits groupes. Connaissez-vous la signification des gestes suivants ?*
- Mise en commun des hypothèses.

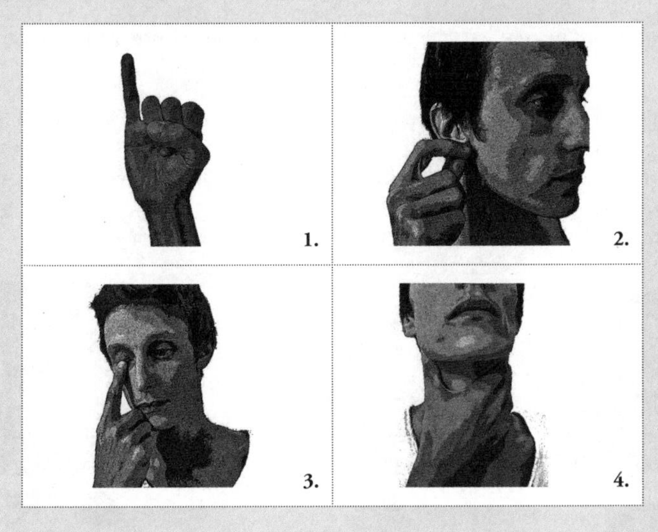

■ Consigne : *Attribuez les photos aux descriptions du tableau.*

Significations généralement partagées	Gestes
■ En Arabie Saoudite, cela signifie « Quel idiot ! » ■ Dans les pays occidentaux, c'est un signe de méfiance. ■ En Amérique du Sud, c'est une façon de dire qu'on voit quelque chose d'intéressant.	
■ En Europe du Nord, notamment en Écosse, cela signifie l'incrédulité. ■ En Grèce et en Turquie, cela signifie « Gare ! Fais attention ! ». ■ En Arabie Saoudite, c'est une façon de demander : « Dois-je répondre à ta place ? »	
■ Dans le monde arabe, c'est une façon de menacer quelqu'un d'étranglement. ■ En Nouvelle-Guinée, on fait ce geste pour signifier qu'on veut se suicider. ■ En Amérique du Sud, ce geste peut être une mise en garde et signifie : « la prison, la taule » pour celui qui s'est fait attraper.	
■ À Bali, c'est le contraire de « C'est bon ! » ■ Autour de la Méditerranée, cela signifie petit pénis. ■ Au Japon, cela sert à signaler que la femme en question est la petite amie, compagne, épouse… d'un homme.	

■ Mise en commun des résultats et comparaison des réponses entre les participants.

Étape 2

■ Consigne : *Dans la vie courante, avez-vous observé ou remarqué des gestes dont vous ne comprenez pas le sens ? Lesquels ?*

■ Discussion en petits groupes, puis mise en commun. Échange sur les hypothèses possibles pour expliquer ces gestes *culturels*.

■ Consigne : *À deux, associez ces gestes français aux expressions correspondantes.*

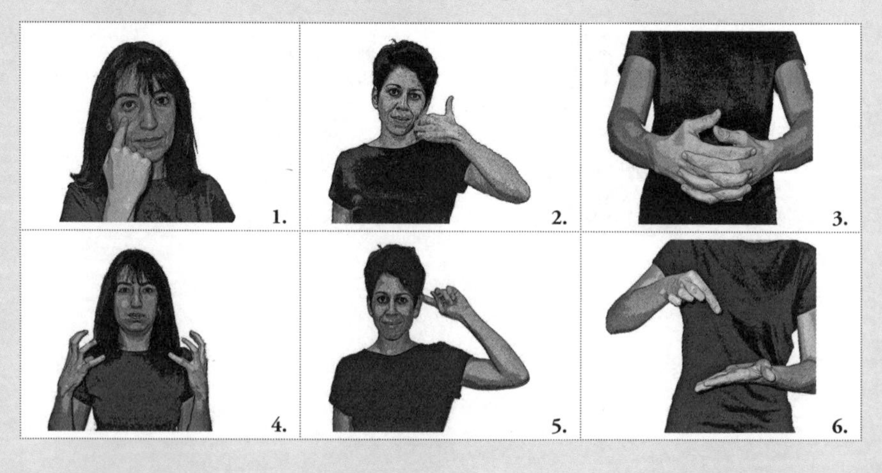

Il travaille du chapeau.		La barbe!	
Mon œil!		Il a un poil dans la main.	
Il se tourne les pouces.		J'ai les boules!	

Quelle est selon vous la signification de ces gestes et de ces expressions?

■ Mise en commun et discussion des résultats en grand groupe.

Pour aller plus loin

■ Consigne: *À deux, associez les expressions suivantes à leur signification.*

a) C'est nul!
b) Pourvu que ça marche!
c) Chut!
d) Motus et bouche cousue!
e) Il a un verre dans le nez.
f) Alors là!
g) J'ai les chocottes.
h) Va te faire voir!
i) La barbe!
j) Ras le bol!

1. Je n'y suis pour rien / Je n'en sais rien
2. J'ai peur.
3. Il est ivre.
4. Bonne chance!
5. C'est ennuyant!
6. Silence!
7. J'en ai marre!
8. C'est un secret!
9. Se faire brutalement éconduire.
10. C'est mauvais!

a	b	c	d	e	f	g	h	i	j

■ Mise en commun et comparaison des résultats entre les groupes.

➜ **Vérifiez vos réponses en visionnant les vidéos de gestes présentes sur le site des PUG (www.pug.fr).**

– *Ces gestes existent-ils dans votre culture? Si oui, quelle est leur signification?*

■ Mise en commun.

➜ **Les corrections des exercices sont disponibles sur le site des PUG (www.pug.fr).**

Fiche 26

A2 et +

45 min.

Travail en équipe

Objectifs

- Identifier les différences et les similitudes entre différentes cultures.
- Comprendre l'origine des malentendus.
- Avoir un regard conscient sur les habitudes comportementales liées à sa culture.

Étape 1

- Consigne : *En groupes de quatre, expliquez pourquoi il est parfois difficile de travailler en groupe en classe.*
- Mise en commun. Un premier groupe présente ses idées. Les autres groupes commentent et complètent l'intervention du premier groupe.
- Discussion. *Que peut-on faire pour améliorer l'efficacité du travail en groupe ?*

Étape 2

- Consigne : *Répondez à l'enquête suivante en répondant pour vous-même, puis en imaginant un personnage fictif.*

Moi	Mon personnage fictif
J'ai un travail en équipe à réaliser.	**Il a un travail en équipe à réaliser.**
▪ J'impose mes idées. ▪ J'écoute les autres. ▪ J'en profite pour ne rien faire.	▪ Il impose ses idées. ▪ Il écoute les autres. ▪ Il en profite pour ne rien faire.
J'arrive à l'heure.	**Il arrive à l'heure**
▪ Toujours. ▪ Parfois. ▪ Rarement.	▪ Toujours. ▪ Parfois. ▪ Rarement.
Une personne me coupe la parole.	**Une personne lui coupe la parole.**
▪ J'accepte. ▪ Je lui dis que cela me dérange. ▪ Je me fâche.	▪ Il accepte. ▪ Il lui dit que cela le dérange. ▪ Il se fâche.
Je pense que les règles :	**Il pense que les règles :**
▪ doivent être respectées. ▪ peuvent être discutées. ▪ peuvent être transgressées.	▪ doivent être respectées. ▪ peuvent être discutées. ▪ peuvent être transgressées.

Moi	Mon personnage fictif
Une personne me parle quand je suis occupé(e).	**Une personne lui parle quand il est occupé.**
■ Je l'écoute en continuant mon travail. ■ J'arrête mon travail pour l'écouter. ■ Je ne l'écoute pas et je continue mon travail.	■ Il l'écoute en continuant son travail. ■ Il arrête son travail pour l'écouter. ■ Il ne l'écoute pas et il continue son travail.
Une personne me parle de problèmes dans sa vie privée.	**Une personne lui parle de problèmes dans sa vie privée.**
■ Je l'écoute et je l'aide. ■ Je suis gêné(e). ■ Je lui conseille de parler à quelqu'un d'autre.	■ Il l'écoute et il l'aide. ■ Il est gêné. ■ Il lui conseille de parler à quelqu'un d'autre.

– *Vous travaillez dans la même entreprise que le personnage fictif. À quoi devrez-vous être attentifs pour éviter les malentendus, voire les conflits ?*

■ Mise en commun. On reprend la discussion en grand groupe à partir de chaque item proposé dans l'autoévaluation.

■ Consigne : *En groupes de trois, donnez une définition complète de ce qu'on appelle un malentendu. Donnez un ou des exemples. Donnez cinq conseils pour éviter les malentendus.*

Pour aller plus loin

Étude de cas

■ Consigne : *En petits groupes, définissez quelle sera votre attitude dans les cas suivants :*

– *Deux personnes de votre équipe sont en conflit.*
– *Vous êtes en conflit avec un membre de votre équipe.*
– *Un membre de l'équipe est écarté par le groupe.*
– *Une personne domine le groupe et dicte ses idées.*

PARTIE 3 ▪ L'échange scolaire comme exemple de rencontre interculturelle

Chapitre 1 : L'échange scolaire

Chapitre 2 : Le carnet de voyage

Chapitre 3 : Le retour

→→ Fiche 27 / Préparation

→→ Fiche 28 / Le voyageur

→→ Fiche 28 / Regards croisés

→→ Fiche 30 / Rallye local

→→ Fiche 31 / Carnet de voyage

→→ Fiche 32 / Album photo

→→ Fiche 33 / Le musée interculturel

« Le voyage est avant tout la rencontre de cet autre qui perturbe nos habitudes, nos convictions ; ce choc visuel face à un univers qui bouleverse notre vision du monde ; cette autodécouverte qui révèle une autre identité jusqu'alors enfouie en nous, tel un étranger intérieur inconscient. »

Franck Michel

Quel que soit l'âge ou le contexte, organiser un voyage, un échange, un appariement avec un groupe dans un pays où l'on parle la langue cible, créer un produit en commun avec des participants d'autres nationalités, etc., toutes ces idées constituent avant tout la définition d'*un projet pour le groupe classe* qui donne du sens à l'apprentissage.

Aujourd'hui, de nombreuses formes d'échanges sont possibles dans l'apprentissage d'une langue. Aux traditionnels correspondants étrangers contactés par lettres se sont substitués les appariements sur Internet, les blogs participatifs, ou encore les projets partagés entre établissements scolaires de différents pays. L'échange scolaire basé sur la visite réciproque d'un groupe d'élèves apprenant chacun la langue de l'autre reste cependant un des meilleurs vecteurs d'une rencontre entre apprenants, car il est basé sur une relation directe et vécue. Les apprenants vont pouvoir utiliser leurs savoirs et savoir-faire en contexte authentique. Ils deviennent acteurs sociaux à part entière et créent des liens personnels et amicaux, souvent durables avec leurs correspondants. L'expérience permet de vivre une culture différente, de l'observer, d'observer ses propres réactions et de réfléchir aux idées préconçues.

Pour les adultes, d'autres formes d'échanges existent qui pourront être organisés selon les mêmes principes, permettant ainsi la mise sur pied et la préparation d'un voyage dans un autre pays, la rencontre réelle avec des membres d'une communauté étrangère et la découverte des lieux de vie, puis un retour d'expérience sur le vécu par des discussions, des retrouvailles, des échanges en ligne. Parmi les exemples que l'on peut citer, il y a les voyages organisés entre des villes jumelées, entre des clubs de différents pays, entre des groupes professionnels ou de loisirs et bien sûr, les projets internationaux qui réunissent des membres de plusieurs nationalités.

1 L'échange scolaire

« Le monde est un livre dont chaque pas nous ouvre une page. »

Alphonse de Lamartine

Pour préparer et réussir un échange scolaire, il faut définir un projet pédagogique et l'accompagner d'objectifs linguistiques, culturels et interculturels. L'échange ne suffit pas, il faut lui bâtir un contenu. L'enseignant doit prendre en considération les aspects pédagogiques, organisationnels, techniques et financiers du voyage.

A. Pourquoi mettre en place cet échange ?

L'échange a pour premier objectif un but interne : renforcer la cohésion du groupe classe lui-même. Il s'agit d'un projet collectif, d'une opportunité originale pour sortir de la classe, mettre les élèves en contact direct et relativement long avec des locuteurs authentiques de la langue apprise, les confronter à d'autres manières de vivre et favoriser ainsi la décentration.

Pour certains apprenants, ce voyage est la première expérience en dehors de la vie de famille, c'est donc un moment important de leur vie personnelle et sociale, une expérience constructive qui les rendra plus autonomes et constituera peut-être le déclencheur de l'intérêt réel pour la langue apprise. La langue cible est ainsi associée à des émotions, des lieux, des rencontres, à un vécu individuel et collectif.

Enfin, l'échange permettra peut-être de créer des liens durables entre les participants eux-mêmes et les personnes rencontrées lors du voyage. L'humain est au centre de la préoccupation pédagogique.

B. Qui ?

Le public cible privilégié pour organiser l'échange est constitué par des élèves de plusieurs classes d'un établissement scolaire ayant en commun la langue d'apprentissage. Dans le cas du français, on organisera un séjour en France ou dans un pays francophone. Afin de faciliter l'organisation et le déroulement de l'échange lui-même, il est préférable, en plus du professeur-organisateur, d'impliquer d'autres personnes pour l'encadrement : professeurs et / ou personnel de la vie scolaire et bien entendu, les apprenants eux-mêmes. Il est très important aussi d'avoir le soutien de l'administration scolaire. Pour cela aussi, il sera très utile de concevoir un projet pédagogique global.

C. Quel type d'échange ou de voyage ?

Le voyage pourra être un voyage de découverte ou un échange dans le cadre d'un appariement.

- *Le voyage de découverte* peut être un voyage organisé en coopération avec un organisme spécialisé (agence de tourisme, tour-opérateur ou école de langue) ou un voyage entièrement mis en place par un(e) enseignant(e). Il peut comprendre des activités centrées sur la découverte culturelle, une partie du temps consacrée à l'étude linguistique ou la réalisation d'un projet concret (enquête, tournage d'un film, présentation d'un spectacle, etc.).

- *L'échange dans le cadre d'un appariement* se fait avec un établissement étranger. Il est généralement associé à une visite similaire des élèves du pays d'accueil dans le pays des participants visiteurs. Il faut tenter de mettre en place des échanges pérennes et ne pas se limiter à la rencontre du simple voyage scolaire. Le voyage dans le pays d'accueil a une durée variable, en moyenne d'une semaine à quinze jours.

Le projet pédagogique peut prendre diverses formes qui pourront être combinées :

- l'hébergement en famille d'accueil qui favorisera l'immersion dans le pays et la compréhension de la vie quotidienne ;

- une formation linguistique intensive dans un centre de langues ;

- la rédaction d'un carnet de voyage final associant les récits des deux groupes de visiteurs dans chaque pays : le groupe étranger en France par exemple, puis le groupe français dans le pays étranger ;

- le voyage ciblé pour créer un musée interculturel au retour.

D. La préparation pédagogique

Avant un voyage, il est intéressant de travailler avec le groupe classe sur le thème du voyage. Par exemple, en utilisant des supports variés comme des bandes dessinées (*Tintin au Tibet, Corto Maltese, Les passagers du vent, etc.*), des chansons (*Voyageur* de Bernard Lavilliers, *Je voyage* de Charles Aznavour, *Voyage en Italie* de Lilicub, etc.), des sites Internet dédiés aux voyages (www.jiraidormirchezvous.com, www.routard.com, etc.), des extraits d'émissions de télévision ou encore des textes littéraires (*L'invitation au voyage* de Baudelaire, par exemple). Le thème du voyage permettra de travailler sur les raisons qui poussent à voyager, sur comment l'expérience est vécue par les différents voyageurs, sur ce que les voyageurs apprennent au cours de leurs voyages et sur les représentations stéréotypées ou non des pays visités. Il s'agit d'envisager le voyage d'échange comme un parcours personnel et formateur.

L'élaboration proprement dite du projet peut commencer. Nous proposons ici sept étapes :

- **Étape 1 : préparer le projet** en travaillant sur une étude comparative pour fixer les rubriques d'observation de la culture cible (par exemple, pour créer un carnet de voyage ou un blog).

Des supports concrets issus du pays de destination constitueront une première approche de l'autre culture en complément des informations déjà reçues dans le cadre du cours habituel.

Les apprenants sont invités à observer, décrire, comparer un ou plusieurs documents : des films, des émissions radio ou de télévision, des publicités, des journaux, des documents de référence comme des sondages, des statistiques, des connaissances factuelles sur le pays visité, des objets de la vie quotidienne ou bien encore des blogs, etc.

Ils doivent collecter le maximum d'informations sur les lieux visités et sur les personnes dont la rencontre est prévue.

Dans cette étape, on prendra conscience que les différences culturelles ne sont pas uniquement liées aux nationalités d'origine, mais que d'autres facteurs interviennent : l'âge, le milieu social, l'expérience individuelle, la destination des médias, la fonction des documents (par exemple, une publicité peut être la même dans plusieurs pays et être comprise différemment), etc.

- **Étape 2 : trouver des partenaires.**

La recherche de partenaires peut s'effectuer grâce à des organismes divers : l'action européenne eTwinning, les mairies par le biais des associations de jumelage, les ambassades ou consulats présents sur le territoire concerné, des petites annonces dans des forums d'associations de professeurs, pour la France les adresses des rectorats d'académie sur Internet dans la rubrique internationale où il est possible de télécharger des formulaires pour une demande de partenariat ou encore l'OFAJ (l'Office franco-allemand pour la jeunesse), etc. Il est parfois difficile de trouver des partenaires avec apprentissage réciproque des langues maternelles, certaines langues étant moins enseignées ou absentes des systèmes scolaires, on choisira dans ce cas une langue commune et on construira le projet interculturel sur la création d'un document commun sur des aspects de la vie dans l'un et l'autre pays. On prévoira néanmoins au moins une initiation dans la langue de l'autre.

■ **Étape 3 : élaborer le projet pédagogique avec les partenaires.**

Le projet pourra être défini en coopération avec les apprenants eux-mêmes. Cette étape de collaboration et de définition commune est fondamentale pour la bonne réussite du projet. Le projet doit être un projet commun auquel adhèrent tous les acteurs et partenaires. Sinon, les malentendus engendrent des conflits et finalement peuvent conduire aux conséquences inverses de celles visées : le rejet de l'autre. Cet échec sera alors attribué aux partenaires alors qu'il est imputable à une mauvaise définition et préparation du projet.

Il est important ici de définir les objectifs et les résultats attendus. Quel produit collectif doit être créé ? Sous quelle forme ? (Un carnet de voyage ? Un blog ? Une exposition ?) Quelle communication sera faite sur le voyage ? Par qui ? Comment ? Il est essentiel de faire valider le projet commun avec les apprenants et les partenaires.

Pour cela, le mieux est de rédiger un document de référence écrit.

■ **Étape 4 : s'assurer du financement du projet.**

Plusieurs pistes sont à envisager. Elles peuvent partiellement constituer elles-mêmes une partie du projet :
– en anticipant le voyage, les frais peuvent être payés en plusieurs fois avec de petites sommes ;
– on peut organiser une fête ou un spectacle avec une participation des parents ou des amis qui pourront apporter une contribution financière adaptée correspondant à leurs souhaits et sans contrainte ;
– on peut organiser différents travaux ponctuellement comme travailler dans des magasins autour de Noël pour faire les paquets cadeaux, etc.

■ **Étape 5 : élaborer une grille d'évaluation pour le projet avec les partenaires.**

■ **Étape 6 : planifier des réunions préparatoires** au voyage, puis une dernière juste avant le départ pour rappeler clairement les objectifs de l'échange, les résultats attendus et le partage des tâches : qui fait quoi.

■ **Étape 7 : organiser et planifier un événement dans l'établissement scolaire** pour présenter les résultats et les produits du voyage : vidéo, carnet de voyage, exposition, etc.

Dans la réalisation du projet pédagogique, la coopération à distance est nécessaire. Les TICE (Technologies de l'information et de la communication dans l'enseignement) joueront donc un rôle décisif dans la conception et la réalisation du projet. Dans la phase préparatoire à l'échange on peut initier des correspondances électroniques, créer des blogs afin de récolter des informations sur la vie quotidienne des futurs partenaires.

Les activités sur Internet permettront aux apprenants de créer les premiers liens avec leurs correspondants et de faciliter la rencontre. Ils pourront ainsi dans un premier temps franchir les frontières sans se déplacer. C'est une approche progressive de l'environnement de l'autre et aussi une démarche qui vise à rendre l'apprenant plus autonome dans sa découverte d'une autre culture. L'apprenant devient un enquêteur qui doit récolter des indices pour compléter son puzzle, son image de l'autre. Ces échanges se faisant en langue cible pour les intervenants, ils constituent des échanges authentiques. Nous ne sommes plus dans une simulation, mais dans la création de relations authentiques. L'écriture n'est plus perçue comme une contrainte scolaire, mais comme un vecteur réel de communication.

2 Le carnet de voyage

« Les carnets de voyage constituent une confrontation quotidienne entre le monde qui se déroule devant nos yeux et celui qui se déroule dans nos têtes. »

Charles Reeve

Le carnet de voyage est un genre très ancien : des grandes explorations aux découvertes géographiques (la route de la soie avec Marco Polo, la découverte de l'Amérique avec Christophe Colomb), artistiques (le Grand Tour avec Goethe, Tahiti avec Gauguin, les photos de Maxime Du Camp) et aux études ethnographiques et anthropologiques (Claude Levi-Strauss), tous ces « voyageurs explorateurs » se sont intéressés aux pays qu'ils ont traversés, aux populations et ont consigné les étapes de leur voyage sous différentes formes : dessins, témoignages, journaux de bord, etc.

À propos du carnet de voyage, Pascale Argod explique que : « Le genre du récit de voyage a été repris par l'expression "littérature viatique" qui met en évidence "la via" c'est-à-dire le trajet, le chemin et le voyage » (Argod, 2005, p. 125).

Dans le milieu éducatif, différents types de carnets de voyage peuvent être réalisés avec intérêt. En voici quelques exemples :

- *Le carnet de dessins :* l'apprenant pourra y esquisser, griffonner, ébaucher, dessiner ses souvenirs, ses impressions, etc. Il ajoutera ensuite ses commentaires en langue cible.

- *Le carnet de littérature :* sorte de journal intime où le dessin et l'écriture se mêlent, se complètent intimement. C'est aussi le lieu où des extraits littéraires figureront. Ces extraits étudiés en classe pourront faire l'objet de discussions entre les différents partenaires.

Par exemple, on pourra étudier des extraits d'*Une Vie française* de Jean-Paul Dubois ou de *God save la France* de Stephen Clarke qui illustrent quelques aspects de la culture française.

■ *Le carnet de vie:* il est constitué de photos et collages d'éléments du quotidien recueillis systématiquement pendant le voyage : tickets de bus ou billets de spectacle, plan, publicité locale, etc. C'est le moyen pour l'apprenant de collecter les traces de la vie quotidienne et de rendre son séjour tangible au retour.

■ *Le carnet parcours culturel « histoire des arts » :* les faits historiques, les photos de monuments et lieux culturels, le protocole de visites, etc. composeront ce carnet (Quéruel, Gallo, 2008).

■ *Le carnet des sens.* L'angle choisi pour rédiger ce carnet est celui des cinq sens. L'apprenant intègre alors à l'élaboration de son récit une attention permanente à :
– l'ouïe (les sons et les bruits du quotidien, le volume sonore des habitants quand ils conversent, etc.) ;
– l'odorat (les odeurs dans la rue, les parfums, les senteurs agréables ou désagréables, etc.) ;
– la vue (les constructions architecturales, les panneaux signalétiques, les choses vues qui surprennent, choquent, attirent, séduisent, les règles de distances entre les gens, l'inventaire des choses vues dans une pièce d'un appartement ou d'une maison, etc.) ;
– le goût (les saveurs, la nourriture, les textures : ce qui est mou, dur, moelleux, visqueux, aigre, acide, sucré, salé, etc.) ;
– le toucher (les personnes rencontrées sont-elles plutôt tactiles ou distantes, faire l'inventaire de tous les contacts physiques observés : bises, on se serre la main, on se frappe dans le dos, etc.).

Le carnet de voyage constitue une fenêtre ouverte sur la culture de l'autre ainsi qu'un guide d'observation, un support pédagogique et un moyen d'expression. Être carnettiste, c'est rapporter des témoignages personnels, rédiger des écrits subjectifs et porter un regard conscient sur l'environnement observé. Il s'agit de suivre une route, celle qui, d'une part, mènera l'apprenant à réfléchir à la différence ou à la similitude des cultures, à la rencontre et à la compréhension de l'autre et qui, d'autre part, conduira l'apprenant à consigner systématiquement ses observations dans son carnet. À travers différentes formes d'expressions : l'écriture, la photo, le dessin, le collage, etc., il devient le metteur en scène de ses souvenirs, de ses impressions et de ses sensations. C'est l'occasion pour lui de mettre en pratique les savoir-faire, les savoir-être et les savoir-apprendre acquis notamment durant le cours de langue.

Pour les groupes plus orientés vers les nouvelles technologies, il existe des logiciels gratuits comme *Didapages* (qui permet de réaliser des livres numériques, des supports multimédias intégrant textes, illustrations, audio et vidéos) : les carnets de voyage virtuels et électroniques créés par ce biais peuvent être ensuite publiés sur un blog ou sur le site Internet de l'école. Ce type de carnet collectif est très valorisant pour le groupe. En le réalisant, les apprenants doivent apprendre à créer des vidéos, des textes, prendre puis sélectionner des photos et à les insérer dans un support électronique. Le choix nécessite une négociation avec les autres apprenants, ce qui contribue aussi à susciter une dimension réflexive à la fois sur le support utilisé et sur l'expérience vécue. L'ensemble peut être publié sur un blog ou sur le site de l'établissement scolaire comme témoignage d'expérience.

3 Le retour

« Ce que j'aime dans les voyages, c'est l'étonnement du retour. »

Stendhal

Le retour doit être perçu comme une continuité. Il convient d'œuvrer pour la pérennité des échanges via Internet : échange de photos, de vidéos par exemple. Pour les plus jeunes, il sera aisé de continuer à communiquer *via* les réseaux sociaux, les chats ou les blogs.

C'est le moment de vérifier si les représentations de l'autre culture ont évolué ou pas, si grâce à l'autre, l'apprenant s'est enrichi et s'il a réussi à réfléchir à sa propre culture d'origine. Pour cela, des pistes de réflexion seront proposées : faire le bilan sur le vécu commun, raconter les différentes étapes du voyage, réfléchir à ce qui a été ressenti comme facile, enthousiasmant, complexe ou décevant.

De même, les apprenants deviennent eux-mêmes des passeurs de culture pour leurs parents, leurs proches et leurs amis. Ils vont raconter leur voyage, leur expérience. La qualité de leur vécu et de leur réflexion sur la manière de voir et de présenter leur expérience sera à son tour un vecteur de transmission d'interculturalité.

Une présentation événementielle de l'échange a été prévue et planifiée dès la phase de préparation. Les apprenants auront plusieurs possibilités :

- présenter une exposition interculturelle, « le musée interculturel » avec les objets et photos recueillies pendant le voyage ;

- présenter un montage vidéo avec les meilleurs moments du voyage et présenter par exemple les carnets de voyage électroniques en invitant les parents (eux-mêmes deviennent une cible de la communication ; ils ont sans doute participé à l'organisation du voyage par leur soutien et ils sont donc conviés à voir le résultat de leur contribution) ;

- exposer les différents carnets de voyage : si possible, lors d'un échange réciproque entre classes, exposer les carnets de voyage des élèves des deux écoles partenaires. Ainsi, chaque vision de l'autre apparaît ;

- proposer une exposition à partir d'un parcours sensoriel (les épices, les sons enregistrés dans le pays, etc.) ;
- créer un petit spectacle mêlant des sketchs et des récits d'expérience avec photos ;
- etc.

La communication dépasse le cercle des participants directs à l'échange et de leurs parents. Il s'élargit au groupe scolaire. Le français, dans ce cas, devient la langue de communication centrée sur un message de découverte et de partage. Le projet contribue à une promotion de la langue auprès des autres élèves, de l'encadrement scolaire et des familles.

Pour ceux qui n'ont pas eu la chance de participer à un échange, mais qui souhaitent découvrir une autre langue-culture, l'époque des partenaires contactés par lettre est révolue, mais il est possible de s'inscrire sur des sites comme http://ipfpenfriends.com ou http://postcrossing.com qui permettent d'établir un premier contact avec un correspondant. L'IPF (International pen friends) créé en 1967 a toujours du succès puisqu'en juillet 2005 le portugais Paulo Magalhães reprend l'idée en inventant le *postcrossing* et propose aux internautes du monde entier de correspondre *via* l'envoi de cartes postales à des inconnus.

D'autres sites similaires comme http:// www.slf.ruhr-uni-bochum.de/ proposent de construire des échanges entre deux personnes qui ont en commun une langue d'apprentissage.

Disponible en plusieurs langues, le site http://www.mylanguageexchange.com permet de trouver un correspondant et d'échanger *via* Internet. Enfin, la page http://www.correspondancefranco.net/hautevit/indexhv.php permet de trouver des correspondants francophones.

En bref

→ L'échange scolaire est un exemple important de la découverte interculturelle qui peut être imité dans d'autres contextes comme les échanges entre villes jumelées, les voyages de découverte ou encore la préparation de rencontres internationales. Il s'agit d'une expérience vécue sur laquelle peut s'élaborer une dimension réflexive. Pour être réussi, il doit être associé à un projet pédagogique précis élaboré entre les partenaires avec le concours actif des enseignants et des apprenants.

→ Plusieurs projets peuvent permettre de conserver une trace durable de la rencontre et organiser la réflexion sur le regard porté sur la (les) culture(s) des partenaires de l'échange. C'est le cas du carnet de voyage ou de la collection de documents récoltés sur place qui sont après exposés soit dans le cadre privé soit sur le lieu d'enseignement.

→ Au retour, les apprenants organiseront une communication plus large dans l'établissement scolaire sous forme d'exposition ou de présentation formalisée afin de donner à leur expérience un écho plus grand et de la mettre au service de la collectivité.

Fiche 27

A2 et +

Plusieurs heures

Préparation

Objectifs

- Se préparer à la rencontre avec d'autres cultures.
- Travailler les regards croisés.
- Apprendre à se décentrer.
- Coopérer à distance.

Étape 1

- Consigne : *Collectez le maximum d'informations et de documents sur le pays ou la ville visités. Présentez un de ces documents au groupe classe.*

Étape 2

- Consigne : *Dans une rencontre, ce qui intéresse les autres, c'est à la fois de présenter leur environnement et leur mode de vie, mais c'est aussi d'apprendre quelque chose sur vous. En petits groupes, faites la liste des sujets sur lesquels vous souhaitez parler.*
- Mise en commun. On établit une liste en grand groupe.
- Consigne : *Entraînez-vous en petits groupes à présenter les sujets suivants dans la langue cible : ici, le français.*

– Présentez votre famille.
– Racontez une journée type dans votre pays. Que fait-on le matin, le midi, l'après-midi, le soir ?
– Présentez vos loisirs en donnant des détails : quoi, où, quand, avec qui faites-vous cette activité ?
– Quelles sont les spécialités culinaires de votre pays ?
– Quelles sont les grandes fêtes de l'année ? Que fait-on ces jours-là ?
– Présentez votre ville : le nombre d'habitants, la situation géographique, les monuments à voir, la situation économique.

- Mise en commun. Chaque participant présente un sujet de son choix.

Pour aller plus loin

- Consigne : *À plusieurs, faites une liste de questions à poser aux personnes qui vont accueillir le groupe (vie quotidienne, famille, etc.).*
- Mise en commun. Les questions seront ensuite posées aux partenaires dans le pays visité par Internet. Puis on fait en classe le compte rendu des réponses reçues.
- Question. *Grâce aux réponses de vos correspondants, votre regard sur leur culture a-t-il changé ? Qu'avez-vous appris ?*

Fiche 28

B2 et +

45 min.

Le voyageur

Objectifs

- Déterminer les objectifs d'un voyage.
- Prendre conscience des raisons du voyage.
- Apprendre à relativiser son point de vue.

Étape 1

- Consigne : *En petits groupes, faites la liste des pays que vous avez visités et racontez votre expérience.*
- Mise en commun. À tour de rôle, un participant de chaque groupe présente son expérience en une minute à la classe.

Étape 2

- Consigne : *À deux, faites une liste des différents types de voyageurs qui peuvent exister, par exemple : le touriste.*
- Mise en commun. Le touriste – L'aventurier – Le voyageur d'affaires – Le globe-trotter – Le gastronome – L'explorateur – L'ethnologue – etc.
- Consigne : *Pour chaque catégorie de voyageurs, définissez les objectifs recherchés par celui ou celle qui voyage. Quel est votre style de voyageur préféré ?*

Pour aller plus loin

- Consigne : *Rédigez un texte de 300 mots environ sur le sujet « Pourquoi voyager ? » Vous y exposerez votre conception du voyage en argumentant votre point de vue et en l'illustrant avec des exemples précis (le texte sera corrigé par l'enseignant(e)).*
- Consigne : *Découvrez à quel profil de voyageur vous appartenez. Allez sur le site* http://fr.canada.travel/types-de-voyageurs *et répondez au questionnaire en ligne intitulé : « Quel type de voyageur êtes-vous ? »*

A2 et +

45 min. à plusieurs heures

Fiche 29

Regards croisés

Objectifs

- Travailler sur les regards croisés.
- Apprendre à définir des observations objectives.
- Faire un retour sur soi-même et ses propres façons d'aborder l'autre.
- Prendre conscience des barrières dans la rencontre interculturelle.
- Apprendre à surmonter les difficultés de la rencontre.

Étape 1

- Diviser le groupe classe en trois groupes égaux un, deux et trois.
- Le groupe trois se retourne pour être dos au tableau.
- Montrer ou projeter une image (un peu abstraite) sur le tableau. Les groupes un et deux voient donc l'image et le groupe trois non. Montrer l'image 20 secondes environ, puis la cacher.
- Consigne aux membres du groupe un : *Choisissez un partenaire dans le groupe trois et décrivez-lui l'image que vous avez vue en deux minutes.* Le groupe deux n'écoute pas.

Après deux minutes, c'est un membre du groupe deux qui va choisir un partenaire dans le groupe trois et décrire en deux minutes l'image qu'il a vue. Le groupe un reste silencieux. Question aux participants du groupe trois : *Est-ce que les deux descriptions correspondent ?*

- À partir de B1. Question : *Est-ce que tout le monde voit la même chose ? Qu'est-ce qui influence la manière de voir ?*

Étape 2

Planifier quatre cours sur la présentation de la une de plusieurs quotidiens du pays des apprenants et du pays visité. Choisir deux ou trois titres de quotidiens.
Les unes sont faciles à télécharger sur Internet.

- Consigne : *Analyser la une de ces journaux.*

- Quels sont les thèmes traités ?
- Quel est l'événement le plus mis en valeur ?
- Quels sujets sont communs à tous journaux ?
- Quels sujets sont traités dans un seul journal ?
- Quelles photos voit-on ?
- S'il y en a, quels produits sont présentés dans les publicités ?

Après quatre séances, demander aux participants s'il est possible de trouver des points communs à toutes les unes dans les journaux présentés.

- Consigne : *Quels sont les points communs et les différences entre toutes les unes analysées ?*

Lors du voyage lui-même, demander aux participants de noter chaque jour le titre principal du journal local.

Pour aller plus loin

- Consigne : *Échangez en petits groupes à propos des questions suivantes.*

– *Pourquoi est-il parfois difficile de comprendre une autre personne ?*
– *Qu'est-ce qui facilite ou rend difficile la compréhension ?*
– *Que peut-on faire pour faciliter la compréhension de deux personnes ?*
– *Que faire si on ne comprend pas quelque chose ?*
– *Comment faire pour profiter au maximum d'un voyage ?*

- Discussion en petits groupes puis mise en commun dans le groupe classe.

Tous niveaux

Une demi-journée au cours du voyage

Fiche 30

Rallye local

Objectifs

- Rendre les participants actifs au cours du voyage.
- Recueillir des informations et des objets sur le lieu visité.
- Être amené à entrer en contact avec des autochtones.
- Mutualiser / partager ses connaissances.

Étape 1

- Consigne : *Que peut-on rapporter d'un voyage ?*
- Mise en commun en grand groupe. On note toutes les idées proposées.

Étape 2

Organiser le rallye local sur une demi-journée. Le principe est simple : récolter des informations ou des objets en temps limité.
S'assurer que tous les apprenants ont un plan de la ville visitée.
- Consigne : *Par trois, vous avez deux heures pour réunir les informations et objets suivants :*
– une carte postale avec la photo d'un monument de la ville ;
– un magnet avec une image de la ville ;
– l'emballage d'un produit en français qui existe aussi dans votre pays ;
– un peu de gravier ou de terre d'un parc de la ville ;
– le nom d'une personnalité célèbre de la ville ;
– le nom du maire de la ville ;
– quatre informations différentes sur un monument de la ville ;
– les heures d'ouverture du bureau de poste ;
– les heures d'ouverture d'une boulangerie ;
– les titres de trois journaux ou revues vendus en kiosque ;
– les noms de trois produits présents sur des affiches publicitaires ;
– le nom d'un spectacle ou d'un film qu'on annonce dans la ville.
Le rendez-vous est donné dans un lieu deux heures après, où on fait le bilan du rallye. Les groupes ont-ils réussi à tout trouver ?

Pour aller plus loin

Au retour, ces informations pourront être intégrées dans *le carnet de voyage ou le musée interculturel* (voir fiches 31 et 33).

Fiche 31

B1 et +

Quelques minutes par jour

Carnet de voyage

Objectifs

- Recueillir des informations pour réaliser un carnet de voyage.
- Se confronter à la vie quotidienne dans un autre pays.
- Prendre conscience du choc culturel.
- Favoriser la décentration.

Étape 1

- Consigne : *En petits groupes, définissez ce qu'est un carnet de voyage et ce qu'on va trouver à l'intérieur. Comment peut-on organiser le carnet ?*

La classe devra déterminer quelles rubriques insérer dans le carnet pour qu'il y ait une harmonisation entre tous les carnets. Par exemple : personnes rencontrées, lieux visités, plats goûtés, etc.

Étape 2

L'enseignant propose aux apprenants les consignes suivantes

Notez dans votre carnet, de façon chronologique et régulière :

– des observations objectives (par exemple : « On prend le repas à 20 h en famille ») ;

– des impressions subjectives (par exemple : « Aujourd'hui, j'ai eu froid et je n'ai pas aimé la visite au musée de la ville ») ;

– les expériences positives et négatives : plaisirs, étonnements, manques, envies, déceptions, etc. (par exemple : « Aujourd'hui, j'ai perdu ma carte de bus. » « Aujourd'hui, j'ai parlé avec un musicien ») ;

Collectez des preuves, des traces de votre voyage, faites des dessins, prenez des photos, réalisez des vidéos qui illustreront votre production. Placez-les dans votre carnet ou dans une enveloppe.

Pour aller plus loin

- Au retour, réaliser le carnet de voyage personnel ou à plusieurs.
- Si vous avez accès à Internet, les participants pourront créer un carnet de voyage virtuel sous forme de blog en l'alimentant quotidiennement de leurs expériences et documents divers.
- À titre d'exemple, lors de leur séjour linguistique au CAVILAM de Vichy au printemps 2011, des étudiants et leurs deux enseignantes du *College of the Atlantic* de Bar Harbor (États-Unis), ont réalisé un blog-carnet de voyage que vous pouvez visiter sur le lien suivant : http://www.humjournal.com/vichy
- Présenter les carnets dans une exposition ou sous forme de présentation projetée (type Powerpoint) en photographiant les plus belles pages ou les pages insolites.

Fiche 32

A2 et +

Plusieurs heures

Album photo

Objectifs

- Recueillir des informations pour réaliser un album photo de voyage.
- Vivre la vie quotidienne dans un autre pays.
- Prendre conscience des décalages culturels.
- Favoriser la décentration.

Étape 1

- Consigne : *En groupes de trois, dites à quelle occasion vous prenez des photos. Quel est le but ?*
- Mise en commun. Un premier groupe présente ses résultats. Les autres complètent.
- Consigne : *Quelles photos va-t-on prendre pour garder le souvenir du voyage ?*
- Mise en commun. Discussion en grand groupe.

Étape 2

- Lors du voyage ou de l'échange scolaire, les apprenants devront prendre le maximum de photos. Chaque soir, ils devront choisir une ou deux photos et indiquer :
  – où et quand ils ont pris les photos
  – ce que les photos représentent
  – les sentiments ressentis (positifs ou négatifs) associés aux photos.
- L'enseignant proposera aux apprenants d'aller à l'office du tourisme et de recueillir les dépliants ou brochures de la ville visitée afin de compléter leur album. Quels sont les points communs et les différences entre leurs photos et celles présentées dans ces documents ? Pourquoi à leur avis ?

Pour aller plus loin

- Au retour, sélectionner les meilleures photos et créer un album collectif avec des photos du groupe et de chacun des participants. Cet album peut être associé à des commentaires et publié sous forme de blog.
- À titre d'exemple, au cours de l'année 2010-2011, des stagiaires vietnamiens du CAVILAM ont participé au projet intitulé *« À la découverte de la vie française : rencontrer, dialoguer, échanger »*. Ils ont réalisé un blog que vous pouvez consulter sur le lien : http://cavilamenligne.com/blogs/projet-vietnam/. Pour clore ce projet, un journal a été publié et distribué dans l'école ; le blog, quant à lui, a pu être lu par l'ensemble des amis ou connaissances du groupe.

Fiche 33

Le musée interculturel

A2 et +

Plusieurs heures

Objectifs

- Adopter un regard rétrospectif sur les contacts avec un environnement culturel inhabituel.
- Faire le bilan d'un échange ou d'un voyage.
- Présenter son expérience interculturelle.

Étape 1

L'enseignant demande aux apprenants ce que l'on trouve dans un musée. Puis, il leur pose la question suivante : *« Pour partager votre expérience interculturelle dans l'école, nous allons créer un petit musée. Quelles informations, quels objets souhaitez-vous diffuser dans ce musée ? Pourquoi ? »*

Étape 2

- Au cours de leur séjour, les apprenants collectent des objets, des images, des documents pour préparer une exposition au retour.
- Au cours du voyage, prévoir de prendre :
  - des photos des élèves par groupes nationaux, puis tous les élèves ensemble ;
  - des photos de demi-classes avec les élèves mélangés ;
  - des photos de chaque élève avec une ou deux personnes de l'autre groupe ;
  - des photos des enseignants des établissements partenaires séparés, puis ensemble ;
  - des photos ou / et des objets des deux environnements (par exemple : un paquet de biscuits en langue maternelle et le paquet de biscuits de la même marque avec l'emballage en langue cible, des objets qui représentent la nourriture des deux pays, deux maillots de football des équipes locales, etc.)
- Consigne : Par trois ou quatre. *À partir des informations et des commentaires de votre carnet de voyage ou photos, choisissez ce que vous mettrez dans le musée collectif.*
- Mise en commun. Comparaison des idées proposées dans chaque groupe.

En fonction du choix des apprenants, l'enseignant et les apprenants détermineront les différentes sections du musée (monuments, gastronomie, modes de vie, comportements, témoignages, curiosités culturelles, etc.).

- Consigne : *En groupes de trois ou quatre, réalisez l'affiche de l'exposition à partir des documents et informations choisis par la classe. Présentez-la à la classe. La classe votera pour la meilleure.*
- Consigne : *En groupes de quatre, réalisez un dépliant informatif illustré pour présenter l'exposition. Présentez-le à la classe.*

La classe votera pour le meilleur. Il sera ensuite dupliqué puis diffusé dans l'établissement.

Pour aller plus loin

- Créer l'exposition elle-même qui présentera le petit musée interculturel et donc le voyage du groupe et les résultats de la rencontre.
- À la sortie de l'exposition, prévoir un espace sur un tableau ou un grand panneau où les visiteurs seront invités à s'exprimer librement
- Écrire en haut du panneau : « *Votre opinion sur l'exposition !* »

Glossaire

A

Altérité Ce qui n'est pas soi, ce qui est autre.
Rencontre de l'altérité : prise de conscience et reconnaissance de l'existence de l'autre dans sa différence par rapport à soi, rencontre de l'autre, de ce qui est perçu comme différent.

C

Catégorisation Processus cognitif par lequel tout être humain appréhende son environnement en le segmentant en catégories, permettant ainsi le classement des éléments de la réalité. Une personne se verra attribuer une catégorie à partir de certaines caractéristiques et l'appartenance à une catégorie conduit à lui attribuer toutes les caractéristiques de la catégorie.

Cadre européen commun de référence pour les langues (abrégé : CECR ou CECRL) Document publié par le Conseil de l'Europe en 2001 pour créer un référentiel et un vocabulaire communs dans l'apprentissage et l'enseignement des langues en Europe. Conçu à l'origine pour faciliter la mobilité géographique éducative et professionnelle, il a profondément influencé la pédagogie contemporaine de l'enseignement des langues et de l'évaluation. Dans la philosophie du Cadre, le locuteur est un acteur social qui agit et interagit dans la collectivité. Le Cadre a défini des niveaux de performance (A1, A2, B1, B2, C1, C2) associés à des descripteurs qui définissent les compétences acquises. Il fournit ainsi une base commune pour la reconnaissance mutuelle des qualifications en langues.

Communication non verbale Communication ayant lieu en l'absence de langage verbal ou associée au langage verbal. Il s'agit de la partie de la communication qui se manifeste à travers les gestes, les mimiques, les postures, l'utilisation de l'espace, la tenue vestimentaire, le regard, etc., de la partie de la communication sans paroles et sans mots.

Culture Valeurs, comportements, pratiques, opinions que chaque individu acquiert au cours de sa socialisation par son appartenance à un groupe culturel déterminé.

D

Décentration Processus mental conscient destiné à s'ouvrir positivement à l'autre tout en établissant un retour réflexif sur soi-même. Il s'agit pour l'individu de sortir de tous ses centrismes (ego-, socio- et ethnocentrisme) afin de relativiser, de se distancier de ses points de vue et d'accepter l'existence et la validité d'autres visions du monde, sans pour autant renoncer aux siennes.

E

Égocentrisme Tendance naturelle de chaque enfant dans son évolution mentale lorsqu'il se considère comme le centre du monde et qu'il pense que tout existe en fonction de lui.

Endogroupe Groupe d'appartenance d'un individu. Ce groupe est composé de l'individu et des autres membres du groupe auxquels il s'associe. Un « nous » collectif reflétant le sentiment d'appartenance au groupe apparaît ainsi lorsque les membres de l'endogroupe se réfèrent aux autres groupes appelés exogroupes.

Ethnocentrisme Tendance à voir le monde uniquement à travers sa propre culture et qui consiste à juger favorablement et supérieurement son groupe d'appartenance (endogroupe) par rapport aux autres groupes (exogroupes).

Exogroupe Par opposition à l'endogroupe, tout groupe qui n'est pas le groupe d'appartenance d'un individu. Apparaît alors un « eux » en opposition au « nous » collectif de l'endogroupe.

G

Généralisation Processus cognitif par lequel le cerveau humain se sert d'un élément ou d'une caractéristique identifié(e) dans une catégorie et l'applique immédiatement à tous les éléments ou membres de la catégorie. La catégorisation va provoquer un processus de généralisation : « lorsqu'on en a vu un, on les a tous vus ».

I

Identité Processus psychologique qui permet à un individu de se définir par rapport aux autres. L'identité n'est pas monolithique, elle a un caractère pluridimensionnel du fait des divers référents qui la composent. Elle peut être personnelle, culturelle, professionnelle, sociale, religieuse, etc. Elle est en permanente (re)construction grâce à la relation avec l'altérité, elle n'est donc pas statique, mais dynamique.

Interculturel Il s'agit d'une démarche (et non d'un contenu d'enseignement) qui vise la construction de passerelles entre les cultures pour parvenir à l'ouverture, à la rencontre et à l'acceptation de l'altérité. La confrontation avec d'autres pratiques culturelles amène les individus à réfléchir sur leurs propres valeurs et à les relativiser. Il s'agit donc d'un processus dynamique d'échanges entre différentes cultures.

K

Kinésie ou kinésique Appellation désignant, de façon générale, l'activité musculaire et le mouvement. Il s'agit de l'étude des gestes qui sont déterminés par la culture d'appartenance ; ils sont acquis dans l'endogroupe et transmis culturellement.

M

Multiculturalisme Société où coexistent plusieurs groupes culturels, ethniques, religieux, etc. en maintenant leurs particularismes respectifs. La diversité est certes reconnue, mais les interactions entre les groupes ne sont pas orientées vers la rencontre et l'enrichissement mutuels mais plutôt vers la sauvegarde de l'identité distinctive.

P

Pluriculturalisme Une société pluriculturelle s'inspire de plusieurs cultures. Être pluriculturel signifie acquérir des connaissances, des savoir-faire linguistico-culturels, comportementaux et des savoir-être pour interagir et communiquer dans au moins deux cultures. La pluriculturalité est donc la capacité à s'identifier et à participer à plusieurs cultures.

Préjugé Attitude comportant une dimension évaluative globale à l'égard des membres d'un groupe social et qui est fondée sur le seul critère d'appartenance à ce groupe. Le préjugé a tendance à se manifester par les expressions « j'aime / je n'aime pas, il a l'air... ».

Proxémie ou proxémique Étude de l'organisation et de la gestion de l'espace par les êtres humains. La notion de proxémie varie selon les cultures. Elle est déterminée par la culture d'appartenance et donc acquise culturellement.

S

Socialisation Processus par lequel sont transmises des valeurs, des normes et des attitudes pour construire une identité sociale et intégrer l'individu d'une société définie. L'individu devient ainsi un être social appartenant à un groupe social. Cette transmission passe par des agents de socialisation tels la famille, l'école, les médias, l'entreprise, etc. et se produit tout au long de la vie.

Sociocentrisme Attitude se caractérisant par la centration sur la société d'appartenance. Cette société sera considérée comme la meilleure et supérieure aux autres avec lesquelles il n'existe pas de lien d'appartenance. Un individu peut appartenir à plusieurs milieux sociaux dans une même société : familiaux, professionnels, linguisticoculturels, politiques, religieux, sexuels, etc.

Stéréotype Image mentale qui s'intercale entre la réalité et notre image de la réalité. Il s'agit d'une représentation collective et simplifiée d'un groupe. Elle correspond à des traits ou des comportements qui sont attribués à tous les membres d'un groupe et constituent donc une vision générale et réductrice de la réalité.

Bibliographie

■ Amossy R., Herscherberg-Pierrot A. (1997), *Stéréotypes et clichés*, Nathan Université.

■ Abdallah-Pretceille M. (1999), *L'éducation interculturelle*, PUF.

■ Argod P. (2005), *Carnet de voyage. Du livre d'artiste au journal de bord en ligne,* Scérén CRDP Auvergne.

■ Beacco J.-C., Byram M., Coste D., Fleming M. (2009), *L'éducation plurilingue et interculturelle comme projet*, Division des politiques linguistiques – Éditions du Conseil de l'Europe.

■ Beacco J.-C. (2000), *Les dimensions culturelles des enseignements de langue*, Hachette.

■ Byram M., Gerald N., Parmenter L., Starkey H., Zarate G. (2003), *La compétence interculturelle,* Éditions du Conseil de l'Europe.

■ Byram M., Gribkova B., Starkey H. (2002), *Développer la dimension interculturelle de l'enseignement des langues. Une introduction à l'usage des enseignants*, Éditions du Conseil de l'Europe.

■ Camilieri C. & Cohen-Emerique M. (1989), *Choc des cultures. Concepts et enjeux pratiques de l'interculturel*, L'Harmattan.

■ Clément J. (2000), *La culture expliquée à ma fille,* Seuil.

■ Colin L., Müller B. (1996), *La pédagogie des rencontres interculturelles,* Anthropos.

■ Conseil de l'Europe (2001), *Cadre européen commun pour les langues. Apprendre, enseigner, évaluer,* Éditions Didier.

■ Delouvée S., Légal J.-B. (2008), *Stéréotypes, préjugés et discriminations,* Dunod.

■ Éloy M.-H. (coord.) (2004), *Les jeunes et les relations interculturelles, rencontres et dialogues interculturels,* L'Harmattan.

■ Ferrão Tavares C. (1999), « L'observation du non verbal en classe de langue », *in Études de Linguistique Appliquée*, nº 114, Didier-Érudition, p. 153-170.

■ Galisson R. (1991), *De la langue à la culture par les mots,* CLE International.

■ Galisson R. (1997), « Problématique de l'éducation et de la communication interculturelle en milieu scolaire européen », *Intercompreensão n.º 6: Razão e emoção à procura de outras vias para a aula de Línguas*, Escola Superior de Educação de Santarém.

■ Hall E. T. (1984), *Le langage silencieux*, Seuil.

■ Hall E.T. (1971), *La dimension cachée,* Seuil.

■ Huber-Kriegler M., Lázár I., Strange J. (2006), *Miroirs et fenêtres - Manuel de la communication interculturelle*, Éditions du Conseil de l'Europe.

■ Inrp (2007), *Approches interculturelles en éducation. Étude comparative internationale*, INRP.

■ Lázar I, Huber-Kriegler M., Lussier D, Matei G., Peck C. (2007), *Développer et évaluer la compétence en communication interculturelle*, Éditions du Conseil de l'Europe.

■ Legal J.-B, Delouvé S. (2008), *Stéréotypes, préjugés et discriminations,* Dunod.

■ Legendre R. (1988), *Dictionnaire actuel de l'éducation,* Larousse.

■ Maalouf A. (1998), *Les identités meurtrières*, Le Livre de Poche.

■ Mucchielli A. (1999), *L'identité,* PUF.

■ Quéruel A.-M., Gallo P. (2008), *50 activités autour des carnets de voyage,* Scéren CRDP Basse Normandie.

■ Rosen E., Reinhardt C. (2010), *Le point sur le Cadre européen commun de référence pour les langues*, CLE International.

■ Verbunt G. (2011), *Manuel d'initiation à l'interculturel*, Chronique Sociale.

■ Verbunt G. (2011), *Penser et vivre l'interculturel*, Chronique Sociale.

■ Windmüller F. (2011), *Français langue étrangère. L'approche culturelle et interculturelle*, Belin.

■ Weaver G. R. (1986), "Understanding and Coping with Cross-cultural Adjustment Stress", Ed. *Cross-cultural Orientations: New Conceptualizations and Applications*, University Press of America.

■ Winkin Y. (1981), *La nouvelle communication,* Seuil.

■ Zarate G. (1993), *Représentations de l'étranger et didactique des langues*, Didier.

Table des matières